S

Le Rouge et le Noir

Roman adapté en français facile par Jacques Fiot

HACHETTE
58, rue Jean-Bleuzen
92170 Vanves

CARTE D'IDENTITÉ

Titre	Le Rouge et le Noir
Auteur	Stendhal
Série	Récits
Age des lecteurs	A partir de 15 ans
Nombre de mots	Environ 1 300 mots

ISBN 2-01-002481-8

Une petite ville et son maire

Le voyageur qui arrive à Verrières est étonné d'entendre un bruit terrible : vingt marteaux pesants sont soulevés* par une roue que la rivière fait tourner, puis tombent dans un bruit de tonnerre. Chàcun de ces marteaux forge, chaque jour, je ne sais combien de milliers de clous.

Si, en entrant dans cette ville entourée de montagnes, le voyageur demande à qui appartient cette belle usine, les gens de la grande rue lui répondent : « Eh ! elle est à M. le maire*. »

Si le voyageur monte la grande rue de Verrières, il y a cent chances contre une qu'il verra paraître un homme à l'air occupé et important. Quand cet homme passe, tous les chapeaux se lèvent. On lui trouve tout d'abord cette sorte de beauté* qui peut encore se rencontrer vers quarante-huit ou cinquante ans. Mais bientôt le voyageur est étonné de son air sûr et content de lui, mêlé à quelque chose d'étroit et de peu intelligent. On sent enfin que tout l'art de cet homme-là est de se faire payer tout de suite ce qu'on lui doit, et de payer lui-même le plus tard possible quand il doit.

Ainsi est le maire de Verrières, M. de Rênal. Après avoir traversé la rue, il entre dans la mairie et les yeux du voyageur le perdent de vue; mais cent mètres plus loin, si celui-ci continue sa promenade, il aperçoit une très grande maison, et des jardins fort jolis.

On lui apprend que cette maison est à M. le maire, les jardins en escalier aussi. Il a même acheté très cher certains petits terrains qu'ils occupent!

Par exemple, en entrant à Verrières, cette scie à bois où vous avez remarqué le nom de SOREL, écrit en lettres très grandes sur une planche au-dessus du toit, occupait, il y a six ans, l'endroit où l'on élève en ce moment le mur du quatrième jardin de M. de Rênal. Eh bien! ce petit terrain, M. le maire a dû le payer plus de quatre fois le prix qu'il valait!... Le vieux Sorel est un paysan dur en affaires, et il a su discuter!

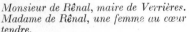
Monsieur de Rênal, maire de Verrières.
Madame de Rênal, une femme au cœur tendre.

La famille de Rênal

C'est un beau jour d'automne; M. de Rênal se promène, donnant le bras à sa femme. Tout en écoutant son mari qui parle d'un air très sérieux, l'œil de madame de Rênal suit avec attention les jeux de trois petits garçons. Le plus grand joue trop souvent près d'un mur qui s'élève de plus de six mètres au-dessus d'une vigne.

« Adolphe ! » dit une voix* douce.

Et l'enfant revient vers sa mère.

Madame de Rênal paraît trente ans, elle est encore jolie ; grande, bien faite, marchant d'un air simple, elle est agréable à regarder.

Son deuxième garçon vient de monter sur le mur et se met à courir.

« Oh ! » dit madame de Rênal à voix basse.

Elle ne veut pas faire peur à son fils : il pourrait tomber ! C'est ce qui l'empêche de crier. Enfin, l'enfant, qui rit de son courage, regarde sa mère et voit sa pâleur* ; il saute dans la rue, puis court vers elle.

« Mon grand fils a onze ans. »

« Il faut que je prenne chez moi le fils du marchand de planches, dit M. de Rênal. Il s'occupera des enfants qui commencent à devenir bien remuants pour nous... Jusqu'ici, j'avais un peu peur des idées de ce jeune Sorel : il admirait* trop son cousin. Ce vieux médecin, qui lui a appris le latin*, est un libéral*. Il a fait les guerres d'Italie et il aimait Napoléon et l'Empire. Il pouvait avoir donné de mauvaises idées au fils Sorel. Je n'aurais donc jamais voulu mettre ce Sorel près de nos enfants, mais le curé* Chélan m'a dit hier que le jeune homme étudie la théologie* depuis trois ans, et veut entrer au séminaire* : il n'est donc pas libéral, et il est latiniste.

5

« C'est un jeune prêtre*, ou presque; il fera certainement travailler les enfants; il sait ce qu'il veut, m'a dit le curé. Je lui donnerai trois cents francs par mois, et il mangera avec nous. Et puis, à Verrières, nous serons les seuls à avoir un précepteur.

— On pourrait bien nous le prendre.

— Alors, tu es d'accord avec moi? dit M. de Rênal, remerciant sa femme par un sourire de la bonne idée qu'elle vient d'avoir. Allons : je vais m'occuper de cela tout de suite.

— Ah! mon cher ami, tu te décides bien vite!

— Je sais ce que je veux, moi! Je vais dépenser mille cinq cents francs, mais c'est nécessaire pour une famille comme la famille de Rênal... »

Le lendemain*, à six heures du matin, le maire de Verrières descend à la scie du père Sorel. Celui-ci est très étonné et assez heureux de voir M. de Rênal venir chercher Julien. Mais il se demande quelle raison peut bien pousser un homme aussi important à prendre chez lui une mauvaise tête comme son fils.

Il n'est pas du tout content de Julien, et c'est pour lui que M. de Rênal offre tant d'argent! Il ne comprend pas. Alors, il refuse de donner tout de suite une réponse à M. le maire; il doit, lui dit-il, demander d'abord l'avis de son fils.

Un père et un fils

M. de Rênal parti, le père Sorel appelle Julien de sa voix de tonnerre; personne ne répond. Il ne voit que ses autres fils qui, avec de lourds outils, préparent les arbres avant de les porter à la scie.

Il cherche Julien qui n'est pas à sa place. Il l'aperçoit à deux ou trois mètres plus haut, à cheval sur une planche. Julien ne fait pas son travail, il lit. Rien ne met plus en colère le vieux Sorel. Il peut encore pardonner à Julien d'être mince, trop faible pour les travaux de force, mais il lui est impossible de pardonner cette habitude de lire : il ne sait pas lire lui-même.

« Le maire de Verrières descend à l[a] scierie du père Sorel. »

Il appelle Julien deux ou trois fois, sans résultat. L'attention que le jeune homme donne à son livre, bien plus que le bruit de la scie, l'empêche d'entendre la dure voix de son père. Enfin, le vieux Sorel saute sur l'arbre qu'on est en train de scier, et de là, sur une planche qui se trouve au-dessus de la machine.

Un coup terrible fait voler le livre que tient Julien; un deuxième coup aussi terrible, donné sur la tête, le fait pencher en avant; il va tomber à quatre ou cinq mètres plus bas sur la machine en mouvement, mais son père l'attrape de la main gauche.

« Eh bien, grande bête! tu liras donc toujours tes mauvais livres pendant le travail? Lis-les le soir, quand tu vas perdre ton temps chez le curé. »

Julien se met à pleurer, moins parce qu'il a mal que parce qu'il a perdu son livre qu'il aimait tant.

« Descends, animal, que je te parle! »

Quand Julien saute sur le sol, le vieux Sorel le chasse devant lui et le pousse vers la maison.

« Dieu seul sait ce qu'il va me faire! » se dit Julien. En passant, il regarde d'un air triste la rivière qui emporte son livre; c'est le *Mémorial de Sainte-Hélène* : celui qu'il aimait le plus!

Julien est un jeune homme de dix-huit ou dix-neuf ans, qui paraît faible. Des cheveux bruns, plantés fort bas, dessinent un petit front. De grands yeux noirs, qui, dans les moments tranquilles, montrent de l'esprit et du feu, lancent quelquefois un regard méchant et plein de colère.

A la maison, personne ne le comprend et tout le monde se moque de lui : il lui est impossible d'aimer ses frères et son père.

En entrant dans la cuisine, Julien se sent l'épaule arrêtée par une forte main, celle de son père; il s'attend à recevoir quelques coups.

« Réponds-moi sans mentir, si tu le peux, mauvaise bête! Comment connais-tu madame de Rênal? Quand lui as-tu parlé?

— Je ne lui ai jamais parlé, répond Julien; je n'ai vu cette dame qu'à l'église*.

— Mais tu l'auras regardée, comme un garçon mal élevé?

— Jamais! Vous savez qu'à l'église je ne vois que Dieu.

— Il y a quand même quelque chose là-dessous... De toute façon, ma scie marchera mieux, tu vas enfin nous quitter. Tu as gagné M. le curé, ou quelqu'un d'autre, qui t'a trouvé une bonne place. Tu partiras chez M. de Rênal, où tu seras précepteur* des enfants.

— Qu'aurai-je pour cela?

— Trois cents francs, tu y mangeras, tu y coucheras, et tu seras habillé.

— Je ne veux pas être domestique*.

— Animal! qui te parle d'être domestique? Est-ce que je voudrais que mon fils soit domestique?

— Mais avec qui mangerais-je? »

Cette question arrête le père Sorel : il ne peut pas y répondre. Il préfère donc ne plus rien dire à Julien et aller discuter de cette affaire avec ses autres fils...

Alors, Julien essaie de se représenter ce qu'il verra dans la belle maison de M. de Rênal, puis il se dit :

« Je n'irai pas chez M. de Rênal si je dois manger avec les domestiques. Mon père voudra m'y obliger, mais je préfère mourir. J'ai quinze francs, je me sauve cette nuit; en deux jours, par les petits chemins où je ne rencontrerai aucun gendarme*, je suis à Besançon; là, j'entre dans l'armée comme soldat, et, s'il le faut, je passe en Suisse. Mais alors, plus d'ambition* pour moi, plus de séminaire qui mène à tout maintenant. »

Ce refus* de manger avec les domestiques n'est pas naturel à Julien : l'idée lui en est venue après la lecture des *Confessions* de Rousseau.

Pour réussir, il ferait des choses bien plus pénibles. Par exemple, il a appris par cœur une grande partie de la *sainte Bible** : il voulait faire plaisir à l'abbé Chélan qui pourrait l'aider dans la vie.

Toute sa volonté* s'appuie sur les trois seuls livres qui, à son avis, ne mentent pas : les *Confessions* de Jean-Jacques Rousseau, les *Bulletins de la Grande Armée* et le *Mémorial de Sainte-Hélène*.

Une femme douce

Le lendemain après-midi, son père lui dit :

« Prends tes affaires et va-t'en chez M. le maire, tu mangeras à sa table. »

Julien se presse de partir. Il passe devant l'église : il sent le besoin d'y entrer. Seul, dans cette maison de Dieu, il pense à la belle situation* qu'il pourrait avoir.

« Enfant, se dit-il, j'ai admiré les soldats qui revenaient d'Italie. Plus tard, c'est avec envie et un plaisir toujours nouveau que j'écoutais mon cousin me racontant l'histoire des guerres de Napoléon. Je voulais alors être soldat parce que, pendant l'Empire, même un pauvre comme moi pouvait devenir un grand homme. Mais maintenant, un enfant du peuple ne serait rien s'il entrait dans l'armée : il doit être prêtre pour réussir dans la vie! »

En sortant de l'église, Julien croit voir du sang : c'est de l'eau par terre; le soleil qui traverse des rideaux rouges lui donne cette couleur. Julien a peur :

« Manquerais-je de courage? se dit-il. Aux armes! »

Ce mot si souvent répété par son cousin lui donne de nouvelles forces; il marche rapidement vers la maison de M. le maire...

Madame de Rênal sortait dans le jardin, quand elle aperçoit, près de la porte d'entrée, la figure d'un jeune paysan presque encore enfant. Il est en chemise blanche, et a sous le bras une veste fort propre.

Elle plaint ce petit paysan aux yeux tristes qui est arrêté à la porte d'entrée, et qui n'ose pas lever la main pour sonner. Elle vient vers lui.

Julien, regardant la porte, ne la voit pas avancer. Il tremble*
quand une voix douce dit tout près de son oreille :

« Que voulez-vous ici, mon enfant? »

Julien se tourne et remarque le regard si bon de cette femme;
il oublie une partie de sa timidité*. Bientôt, étonné de sa
beauté, il oublie tout, même ce qu'il vient faire. Madame de
Rênal répète sa question.

« Je viens pour être précepteur, madame, lui répond-il
enfin, tout gêné.

— Précepteur? » dit madame de Rênal, étonnée.

Ils sont fort près l'un de l'autre, et se regardent. Julien
n'a jamais vu une personne aussi bien habillée, et surtout une
femme si belle, lui parler avec un air si doux.

« Quoi? Monsieur, reprend-elle enfin, vous savez le latin? »

Ce mot de « Monsieur » étonne fort Julien; il pense un moment,
puis répond en rougissant* :

« Oui, Madame.

« *Un jeune paysan presque encore
enfant.* »

— Vous serez gentil avec mes pauvres enfants?

— Moi? et pourquoi ne serais-je pas gentil?

— N'est-ce pas, Monsieur, ajoute-t-elle après un petit silence, vous serez bon pour eux, vous me le promettez? »

En allant vers la maison, madame de Rênal s'arrête; elle a quand même peur de se tromper : pour elle, un précepteur doit être habillé de noir.

« Mais est-ce bien vrai, Monsieur, vous savez le latin? »

Ces mots blessent l'orgueil* de Julien.

« Oui, Madame, lui répond-il en cherchant à prendre un air froid; je sais le latin aussi bien que M. le curé, et même, quelquefois, il est assez bon pour dire : mieux que lui. »

Madame de Rênal lui trouve alors l'air méchant. Il s'est arrêté à deux pas d'elle; elle s'approche et lui dit à voix basse :

« N'est-ce pas, les premiers jours, vous serez gentil avec mes enfants, même quand ils ne sauront pas leurs leçons. »

Au printemps, à Vergy, les enfants jouent dans le jardin. Gravure de Lassalle.

Cette voix si douce fait tout oublier à Julien.

« N'ayez pas peur, Madame, je vous obéirai* en tout. »

Elle entre dans la maison et se retourne vers Julien, qui la suit.

« Quel âge avez-vous, Monsieur?

— Bientôt dix-neuf ans.

— Mon grand fils a onze ans, reprend madame de Rênal, ce sera presque un camarade pour vous. Quel est votre nom, Monsieur?

— On m'appelle Julien Sorel, Madame; j'ai peur en entrant pour la première fois de ma vie dans une maison étrangère; j'ai besoin que vous m'aidiez et que vous me pardonniez bien des choses les premiers jours. Je n'ai jamais fait d'études : j'étais trop pauvre; je n'ai jamais parlé à d'autres hommes que mon cousin, le médecin, et M. le curé Chélan. Il vous dira du bien de moi. Mes frères m'ont toujours battu, ne les croyez pas s'ils vous disent du mal de moi; pardonnez mes fautes, Madame, elles ne seront jamais voulues. Madame, jamais, non, jamais je ne battrai vos enfants; je le promets devant Dieu. »

Et en disant ces mots, il ose prendre la main de madame de Rênal et la porter à ses lèvres.

L'étonnant précepteur

M. de Rênal a entendu parler; il sort de son bureau, et, d'un air important, il dit à Julien :

« Il faut que je vous parle avant que les enfants vous voient. »

Il le fait entrer dans une pièce et demande à sa femme, qui voulait les laisser seuls, de rester avec eux. La porte fermée, M. de Rênal s'assoit.

« M. le curé m'a dit que vous étiez un bon jeune homme; chez moi, personne ne vous manquera de respect*. Maintenant, Monsieur — et ici, tout le monde a l'ordre de vous appeler Monsieur — maintenant, Monsieur, il ne faut pas que les enfants vous voient ainsi habillé. Allons tout de suite chez le tailleur... »

Plus d'une heure après, quand M. de Rênal rentre avec Julien tout habillé de noir, sa femme est toujours assise à la même place. Julien lui trouve l'air assez froid ; il pense qu'elle est ainsi parce qu'il a osé lui embrasser la main. Mais ses beaux vêtements noirs, si différents de ceux qu'il a l'habitude de porter, le rendent fou de joie* et d'orgueil.

Il est bientôt présenté aux enfants ; il leur parle longtemps d'une façon qui étonne M. de Rênal.

« Messieurs, je suis ici pour vous apprendre le latin, leur dit-il en finissant. Savez-vous réciter une leçon ? Tenez ! Voilà la *sainte Bible*, ajoute-t-il en leur montrant un petit livre noir écrit en latin. Aujourd'hui, c'est vous qui me ferez réciter ma leçon. »

Adolphe, le plus grand des enfants, prend le livre.

« Ouvrez-le où vous voulez, continue Julien, et dites-moi le premier mot de la page. Je réciterai la *sainte Bible* jusqu'à ce que vous m'arrêtiez. »

Adolphe ouvre le livre, lit un mot, et Julien récite toute la page aussi facilement que s'il parlait français. Assez fier*, M. de Rênal regarde sa femme. Les enfants, voyant leurs parents étonnés, ouvrent de grands yeux. Un domestique vient à la porte. Julien continue de parler latin. Le domestique s'arrête, écoute, puis repart. Bientôt, la femme de chambre* de madame, puis les employés de la maison arrivent près de la porte, et Julien parle le latin toujours aussi facilement...

Ainsi, moins d'un mois après l'arrivée de Julien dans la maison, même M. de Rênal lui porte un certain respect.

Julien enfin aimé

Elisa, la femme de chambre de madame de Rênal, vient de recevoir beaucoup d'argent à la mort d'un parent; elle est allée dire au curé Chélan qu'elle voudrait se marier avec Julien.

Le curé est très content pour son ami. Mais il s'étonne quand Julien lui répond :

« Mlle Elisa ne peut pas être une femme pour moi.

— Mon enfant, faites attention à ce qui se passe dans votre cœur, lui dit le curé en fermant à demi les yeux. Si vous

L'abbé Chélan, un bon prêtre, ami des pauvres.

ne voulez pas Elisa parce que vous êtes décidé à devenir prêtre[1], c'est très bien. Mais, vous savez, il y a cinquante-six ans que je suis curé de Verrières : j'ai aimé les pauvres, et je n'ai rien gagné; on m'oblige même maintenant à quitter Verrières. Un prêtre doit choisir : réussir dans ce monde ou dans l'autre. Serez-vous un bon prêtre? Je n'en suis pas sûr. Allez, mon cher ami, pensez bien à ce que je vous ai dit, et revenez plus tard me donner votre réponse. »

1. Dans la religion catholique, le prêtre n'a pas le droit de se marier.

Julien, pour la première fois de sa vie, se voit aimé par une femme; il pleure de plaisir et va cacher sa joie dans les grands bois au-dessus de Verrières. « Ah! je sens que je donnerais mille fois ma vie pour ce bon curé Chélan, et il vient de me montrer que j'ai tort; il ne croit pas que je puisse être un bon prêtre parce qu'il a compris que je veux réussir dans la vie... »

Madame de Rênal est bien étonnée que sa femme de chambre, riche maintenant, ne paraisse jamais heureuse; elle la voit toujours aller chez le curé et pleurer quand elle en revient. Enfin, Elisa lui dit un jour qu'elle veut se marier avec Julien.

Alors, une sorte de fièvre empêche madame de Rênal de trouver le sommeil; elle vit seulement quand elle a sous les yeux Élisa ou Julien. Elle croit vraiment qu'elle va devenir folle. Enfin elle tombe malade. Le soir même, quand sa femme de chambre la sert, elle remarque que cette fille pleure encore.

« Qu'est-ce que vous avez Élisa?

— Madame, si vous me le permettez, je vous raconterai tout mon malheur.

— Dites, répond madame de Rênal.

— Eh bien, Madame, il me refuse; des méchants ont dû lui dire du mal de moi, et il les croit.

— Qui vous refuse*? dit madame de Rênal, respirant avec peine.

— Eh! qui, Madame, mais c'est M. Julien! M. le curé trouve qu'il ne doit pas refuser une bonne fille parce qu'elle est femme de chambre; mais il n'a pas pu le décider, et il est sûr maintenant que Julien ne dira jamais oui.

— Je veux faire un dernier effort, je parlerai à M. Julien. »

Le lendemain après-midi, pendant une heure, madame de Rênal se donne le grand plaisir de voir Julien refuser et la main et l'argent d'Élisa.

Elle sent monter en elle un très grand bonheur*, elle va dans sa chambre et veut rester seule. « Aurais-je de l'amour pour Julien? » se demande-t-elle.

e plaisir de vivre au milieu des plus
es montagnes du monde. »

Soirées à la campagne

Aux premiers beaux jours du printemps, M. de Rênal installe sa famille dans sa grande maison, près du village de Vergy.

La vue de la campagne semble nouvelle à madame de Rênal. Elle passe ses journées à courir avec ses enfants dans les jardins et dans les champs.

Cette vie, agréable et très occupée, plaît à tout le monde ; seule, Élisa n'est pas contente : elle a trop de travail.

« Jamais, dit-elle souvent, Madame ne s'est donné tant de soins pour s'habiller : elle change de robe deux ou trois fois par jour ! »

Julien, de son côté, est aussi heureux que ses élèves de courir dans la campagne. Seul, loin du regard des hommes, et sentant que madame de Rênal ne dirait rien, il se donne au plaisir de vivre au milieu des plus belles montagnes du monde...

L'été arrive. On prend l'habitude de passer les soirées* sous un très grand arbre, à quelques pas de la maison. La nuit y est profonde. Un soir, Julien parle, il parle beaucoup... A un moment, sa main touche la main de madame de Rênal, posée sur une de ces chaises de bois que l'on place dans les jardins.

« Le moment approche où le courage sera nécessaire. »

Cette main s'enlève bien vite. Alors Julien pense qu'il doit réussir à ce qu'on n'enlève pas cette main quand il la touche. Ce n'est pas une simple envie, c'est un devoir pour lui, et la peur de faire rire, ou d'être moins que les autres s'il ne remplit pas ce devoir, chassent tout plaisir de son cœur.

Le lendemain, quand il rencontre madame de Rênal, il la regarde comme un ennemi avec qui il va falloir se battre.

« Pourquoi ces yeux si différents de ceux d'hier? pense madame de Rênal; j'ai été bonne pour lui, et il paraît en colère. »

Julien, ce jour-là, s'occupe moins des enfants; il ne pense qu'à lire un de ses livres préférés, où il trouve l'exemple du courage.

Ensuite, quand il revoit madame de Rênal, il est décidé :

« De toute façon, il faut qu'elle permette, ce soir, que sa main reste dans ma main », se dit-il.

Le soleil baisse... Le moment approche où le courage sera nécessaire, et le cœur de Julien bat plus fort.

La nuit vient. Il voit avec plaisir qu'elle sera fort sombre. Le ciel, chargé de gros nuages balayés par un vent très chaud, semble vouloir amener un orage...

On s'assoit enfin, madame de Rênal à côté de Julien. Partagé entre son devoir et sa timidité, il ne s'intéresse qu'à lui-même et reste sans parler.

Un cœur plein d'orgueil

Neuf heures trois quarts viennent de sonner, et Julien n'a encore rien osé. En colère contre lui-même, il se dit :

« Alors, je ne suis qu'un faible! Je manque de courage! Eh bien! au moment où dix heures sonneront, je ferai mon devoir, ou je monterai dans ma chambre me tirer un coup de pistolet*. »

Dix heures sonnent. Chaque coup est un poids pesant qui tombe sur sa poitrine et la frappe comme un marteau.

Enfin, au dernier coup de dix heures, il tend la main et prend celle de madame de Rênal; elle l'enlève aussitôt. Julien, sans bien savoir ce qu'il fait, la prend une deuxième fois. Il est étonné : elle est froide. Il la serre avec force en tremblant; on fait un dernier effort pour la lui enlever, mais, enfin, cette main lui reste. Un grand bonheur monte alors en lui, non parce qu'il aime madame de Rênal, mais parce qu'il a réussi ce qu'il voulait.

Bien après minuit, on se quitte. Madame de Rênal, toute à la joie d'aimer, ne se condamne* même pas, et son bonheur l'empêche de dormir.

Julien, lui, s'endort tout de suite; il est très fatigué : toute la journée, la timidité et l'orgueil se sont battus dans son cœur.

Le lendemain, on le réveille à cinq heures; il ne pense presque pas à madame de Rênal, qui aurait beaucoup de peine si elle le savait. Perdu dans l'orgueil d'avoir rempli son devoir, et un devoir difficile, il s'enferme à clef dans sa chambre et se met à lire avec un plaisir tout nouveau.

Quand l'heure du déjeuner sonne, il a oublié son bonheur de la soirée d'hier. En entrant dans la salle à manger, il ne trouve pas le regard doux et heureux qu'il croyait rencontrer, mais le visage très sombre de M. de Rênal; arrivé de Verrières depuis deux heures, il ne cache pas sa colère, parce que Julien n'a pas fait travailler les enfants ce matin.

Chaque mot blessant de son mari traverse le cœur de madame de Rênal. Julien, lui, n'arrive pas à forcer son attention pour écouter M. de Rênal : son esprit est perdu dans les grandes choses qu'il vient de lire... Enfin, il dit :

« J'étais malade... »

Le lendemain, à cinq heures, M. de Rênal vient de lui permettre de prendre trois jours de vacances. Julien est alors étonné : il a envie de revoir madame de Rênal, il pense à sa main si jolie! Il descend donc au jardin.

20

Madame de Rênal se fait longtemps attendre. Si Julien l'aimait, il l'apercevrait derrière les fenêtres du premier étage, le front contre la vitre. Elle le regarde. Enfin, elle se décide à paraître au jardin.

Il s'approche, tout heureux d'admirer cette femme; il s'étonne fort qu'elle lui montre un air aussi froid.

Julien, qui a gardé toute sa raison, trouve bien vite un moyen pour faire comprendre à madame de Rênal qu'elle ne représente pas grand-chose pour lui : il ne dit rien du petit voyage qu'il va faire, il la salue et part.

Elle le regarde s'en aller... Son grand fils arrive du fond du jardin en courant et lui dit en l'embrassant :

« Nous sommes libres, M. Julien s'en va en voyage. »

A ce mot, madame de Rênal se sent prise d'un froid de glace. Pour pleurer en liberté, et ne pas répondre aux questions, elle parle d'un grand mal de tête, et se met au lit.

Un voyage

Pendant que madame de Rênal ne peut chasser de son esprit l'image de Julien, celui-ci, tout heureux d'être libre, marche avec joie au milieu des plus jolies vues offertes par les montagnes. Le cœur sec de ce jeune homme plein d'ambition n'avait trouvé jusqu'ici aucun plaisir à cette sorte de beauté; mais, cette fois, il ne peut pas s'empêcher de s'arrêter pour admirer ces vues si belles, si larges et si écrasantes.

Enfin, il arrive au haut de la montagne, là où il doit passer pour aller au village qu'habite Fouqué, le jeune marchand de bois, son ami. Il aperçoit une petite grotte*; il se met à courir, et, bientôt, il y est installé. « Pourquoi ne passerais-je pas la nuit ici? se dit-il, j'ai du pain et je suis libre! »

La tête entre les deux mains, Julien regarde la plaine au loin... Perdu dans sa joie de liberté, il reste longtemps dans cette grotte, plus heureux qu'il ne l'a jamais été...

*Dans la montagne, chez Fouqué, le
jeune marchand de bois.*

Il étonne bien son ami quand il frappe chez lui à une heure
du matin. Il trouve Fouqué en train de faire ses comptes.
C'est un grand jeune homme, assez mal fait, avec un long nez
et un visage dur; mais cet air peu agréable cache un homme
bon et gentil.

« Tu n'es donc plus d'accord avec ton M. de Rênal, pour
arriver ainsi sans prévenir? »

Julien raconte tout ce qui s'est passé.

« Reste avec moi, lui dit Fouqué, tu tiendras mes comptes.
Je gagne bien dans mon commerce, et je gagnerai plus encore,
mais je n'ai personne pour m'aider et je manque des affaires.
Travaillons ensemble... »

Fouqué admire tout ce que sait Julien et tout ce qu'il
peut faire...

Quand enfin Julien se trouve seul dans sa chambre, il se dit : « C'est vrai, je peux gagner ici quelques milliers de francs qui me seront très utiles, quand je choisirai le métier de soldat ou celui de prêtre. Avec cet argent, rien ne sera difficile. Mais si Fouqué veut partager ce qu'il gagne avec moi qui n'ai pas d'argent, c'est dans l'espoir de se faire un ami qui ne le quitte jamais. »

« Vais-je mentir à mon ami? » dit Julien à haute voix.

D'habitude, il savait bien cacher ce qu'il pensait, et ainsi se sortir des moments difficiles. Mais, cette fois, il lui est impossible de ne pas dire la vérité à un homme qui l'aime.

« Quoi? je perdrais sept ou huit années! j'arriverais ainsi à vingt-huit ans; mais, à cet âge-là, Bonaparte avait fait ses plus grandes choses! Quand j'aurai gagné un peu d'argent, qui me dit que mon esprit et ma volonté pourront encore me pousser à devenir un grand homme, à être connu pour qu'on parle de moi?... »

Le lendemain matin, Julien dit au bon Fouqué qui croyait l'affaire finie :

« Je veux être prêtre, je ne peux donc pas rester avec toi pour t'aider.

— Mais penses-tu que je te donne au moins quatre mille francs par an! et tu veux retourner chez ton M. de Rênal, qui se moque de toi comme de sa première chemise! Quand tu auras gagné assez d'argent, qu'est-ce qui t'empêche d'entrer au séminaire?... »

Rien ne peut faire changer d'avis Julien. Fouqué finit par le croire un peu fou.

Julien partira-t-il ?

Le troisième jour, de grand matin, Julien quitte son ami pour passer la journée au milieu de la montagne. Il retrouve sa petite grotte, mais son esprit n'est plus tranquille.

« Je n'ai donc pas de volonté? se dit-il. Alors, je ne suis pas fait pour devenir un grand homme : j'ai peur que huit années passées à bien gagner ma vie m'enlèvent cette belle force qui permet de réussir les choses les plus grandes. »

Quand Julien aperçoit Vergy, il remarque que depuis son départ il n'a pas pensé à madame de Rênal. Maintenant, il lui est possible de gagner beaucoup d'argent avec Fouqué, aussi ne voit-il plus les choses de la même façon : il se sent tout à fait différent... Il est étonné de la pâleur de madame de Rênal quand elle lui demande de raconter son voyage. A chaque moment, elle a peur de l'entendre dire qu'il va quitter la maison. Julien ne parle pas de cela : il n'y pense même pas. Madame de Rênal ose enfin lui demander d'une voix tremblante :

« Quitterez-vous vos élèves ? »

Julien est étonné de la voix et du regard de madame de Rênal. « Cette femme m'aime », se dit-il, et il répond avec un peu de timidité : « J'aurais beaucoup de peine à quitter des enfants si gentils nés dans une si grande famille; mais peut-être le faudra-t-il. On a aussi des devoirs pour soi-même. »

« Aux yeux de cette femme, moi, se dit-il, je ne suis pas né dans une grande famille. »

Julien reste assez triste toute la soirée. Madame de Rênal veut faire un tour de jardin; bientôt, elle dit qu'elle ne peut plus marcher. Elle prend le bras du voyageur, ce qui lui enlève ses dernières forces.

Il fait nuit; ils viennent de s'asseoir. Julien, se rappelant ce qu'on lui a déjà permis, ose approcher les lèvres du bras de sa jolie voisine, et lui prendre la main. On lui serre la main, mais cela ne lui fait aucun plaisir. Julien se met à penser et, sans même s'en rendre compte, il laisse tomber la main de madame de Rênal. Ce mouvement rend folle cette pauvre femme. Tremblante de le perdre, son amour la pousse à reprendre la main de Julien, que, sans le vouloir, il a posée sur la chaise.

« Ah! se dit-il, si tous ces gens si fiers et si riches voyaient cela! Avant mon voyage, je lui prenais la main, elle l'enlevait; aujourd'hui, j'enlève ma main, elle la prend et la serre. »

Vers minuit, on rentre à la maison, madame de Rênal lui dit à voix basse : « Vous nous quitterez? Vous partirez? »

Julien répond en respirant assez fort :

« Il faut que je parte; je vous aime, c'est une faute... et quelle faute, pour un jeune prêtre! »

Le lendemain matin, madame de Rênal est un moment seule avec Julien. « N'avez-vous pas d'autre nom que Julien? » lui demande-t-elle.

Il ne sait pas lui répondre. Il est bien triste de se montrer si peu adroit. Mais, très fier, il ne veut pas rester sur cet échec*. Le soir, il est assis à côté de madame de Rênal, dans le jardin : une idée folle lui vient. Il approche sa bouche de l'oreille de la jeune femme et lui dit :

« Madame, cette nuit, à deux heures, j'irai dans votre chambre; je dois vous dire quelque chose. »

Elle refuse, très étonnée.

Deux heures du matin sonnent. Julien se lève. Il tremble. Il est obligé de se tenir au mur. Il n'a jamais vécu de moments aussi pénibles, mais il ne veut pas être un faible. Il va vers la chambre de la jeune femme; il ouvre la porte d'une main tremblante, en faisant un bruit terrible.

En le voyant entrer, madame de Rênal sort de son lit.

« Malheureux! » lui dit-elle.

Julien ne lui répond rien, il se jette à ses pieds, lui embrasse les genoux et se met à pleurer. Quelques heures après, quand il sort de la chambre de madame de Rênal, il n'a plus rien à lui demander. « Etre heureux, être aimé, n'est-ce que ça? » pense-t-il en rentrant dans sa chambre.

Le lendemain, la jeune femme ne peut regarder Julien

sans rougir, et ne peut vivre une minute sans le regarder. Lui ne lève qu'une seule fois les yeux sur elle.

« Est-ce qu'il ne m'aime plus? » se dit-elle.

En passant de la salle à manger au jardin, elle lui serre la main. Il la regarde avec amour; il la trouve belle. Ce regard fait plaisir à madame de Rênal. Elle voudrait bien qu'il revienne la voir, cette nuit. Elle quitte le jardin de bonne heure et va dans sa chambre.

Quand une heure du matin sonne, le jeune homme sort sans bruit de sa chambre et arrive chez madame de Rênal.

Ce jour-là, il trouve plus de bonheur, mais son amour est encore de l'ambition; c'est la joie d'avoir à lui, fils d'un marchand de planches, une femme aussi jolie, d'une aussi grande famille. Quand il oublie son ambition, Julien admire cette femme. Il la trouve belle, bonne et douce. Madame de Rênal l'aime comme son enfant; un moment après, elle l'admire comme son maître. Elle pense qu'il sera un jour un grand homme.

Un roi à Verrières

Le mardi 3 septembre, à dix heures du soir, un gendarme réveille tout Verrières; il monte la grande rue en criant la nouvelle que le roi* de... passera par Verrières le dimanche suivant. Le gouvernement demande que le maire nomme une garde d'honneur* à cheval pour recevoir le roi et le suivre dans la ville. On fait prévenir tout de suite M. de Rênal; il revient de Vergy dans la nuit, et trouve toute la ville discutant dans les rues.

A sept heures, madame de Rênal arrive à· Verrières avec Julien et les enfants. Sa maison est déjà remplie de dames qui viennent lui demander de parler à M. de Rênal : chacune voudrait que son mari soit dans la garde d'honneur. Madame de Rênal n'écoute pas tout ce monde. Elle a l'esprit trop occupé.

Depuis longtemps déjà, mais elle ne l'a jamais dit à Julien pour ne pas le blesser, elle aimerait qu'il quitte, même pour un jour, son triste vêtement noir. Avec une adresse vraiment étonnante chez une femme si naturelle, elle arrive à ce qu'elle veut : Julien est nommé garde d'honneur!

Le dimanche matin, des milliers de paysans descendent des montagnes voisines et remplissent les rues de Verrières. Il fait le plus beau soleil. Enfin, vers les trois heures, un grand feu s'élevant sur une petite montagne à quelques kilomètres de la ville apprend que le roi va bientôt entrer dans Verrières.

La moitié des gens monte sur les toits. Toutes les femmes se penchent aux fenêtres. La garde d'honneur se met en mouvement. Chacun reconnaît un parent, un ami, mais tout le monde se demande qui est ce fort joli garçon, très mince, monté sur le plus beau cheval. On reconnaît enfin ce jeune homme : c'est le fils Sorel. On entend crier contre le maire : « Quoi? parce que ce petit ouvrier est précepteur de ses enfants, il a osé le nommer garde d'honneur! »

Pendant qu'on s'occupe tant de lui, Julien est le plus heureux des hommes : il se tient mieux à cheval que tous les riches jeunes gens de cette ville de montagne, et il voit dans les yeux des femmes qu'on parle de lui...

Une heure après, Julien court chez M. Chélan. Il s'habille vite en prêtre et suit le curé qui se rend près du jeune évêque* d'Agde. C'est un neveu du marquis* de La Mole.

La vue de ce jeune évêque réveille l'ambition de Julien : « Si jeune! se dit-il; pas plus de six ou huit ans de plus que moi!... » Alors, il ne pense plus du tout à être soldat...

Bientôt, tous les prêtres arrivent dans l'église par une porte de côté; l'évêque s'avance le dernier, entouré de M. Chélan et d'un autre curé fort vieux. Julien réussit à se placer tout près de l'évêque.

Enfin, le roi entre par la grande porte. Julien a le bonheur de bien le voir, puis de se trouver à six pas de lui. Tout à côté du roi, il remarque un petit homme au regard intelligent. Il apprend un moment après que c'est M. de La Mole, très vieil ami de M. Chélan. Ses parents ayant autrefois commandé la région, le gouvernement l'a choisi pour suivre le roi...

Pendant longtemps à Verrières on a parlé de cette fête, du roi, de l'évêque d'Agde et de M. de La Mole. Mais plus longtemps encore, chacun a cherché qui avait pu faire nommer dans la garde d'honneur le jeune Julien Sorel, fils d'un marchand de planches. Il fallait entendre les riches familles de la ville qui, soir et matin, discutaient de cette importante question. On a fini par penser que cela ne pouvait venir que de madame de Rênal. Pourquoi? Eh bien! les beaux yeux et les joues si fraîches du petit Sorel expliquaient tout...

Peu de temps après, le plus jeune des enfants de la jeune femme est malade. Elle est très malheureuse. Elle pense que Dieu veut la punir de son amour fou pour Julien.

« Au nom de Dieu, quittez cette maison, lui dit-elle. Dieu me punit en tuant mon fils. »

Julien est profondément touché. « Elle croit tuer son fils en m'aimant, et pourtant la malheureuse m'aime plus que son fils », pense-t-il.

Une nuit, l'enfant va très mal. Vers deux heures du matin, M. de Rênal vient le voir. Tout à coup, la jeune femme se jette aux pieds de son mari. Julien voit qu'elle va tout dire.

« Écoute-moi, dit-elle à genoux. Apprends toute la vérité. C'est moi qui tue mon fils. Je lui ai donné la vie et je la lui reprends. Dieu me punit.

— Drôles d'idées! » dit M. de Rênal, et il part se coucher dans sa chambre.

Depuis vingt minutes que M. de Rênal est parti, Julien voit la femme qu'il aime, la tête reposant sur le lit de l'enfant. Enfin, elle ouvre les yeux.

« Va-t'en, lui dit-elle.

— Je donnerais mille fois ma vie pour savoir ce qui peut t'être le plus utile, répond le jeune homme. Jamais je ne t'ai tant aimée. Que deviendrai-je, loin de toi? Je serai très malheureux, oui, mon amour, mais je partirai. Oh! pourquoi n'est-ce pas moi qui ai la maladie de ton fils?...

— Oh! mon seul ami! pourquoi n'es-tu pas le père de mon fils? » lui dit-elle.

A partir de ce moment, Julien se rend compte qu'il n'aime plus la jeune femme de la même façon. Son amour n'est plus seulement de l'admiration pour sa beauté et l'orgueil d'avoir à lui une femme de grande famille. Son bonheur est maintenant bien plus grand, son amour bien plus profond, bien plus beau.

Au séminaire

Au début de l'hiver, Julien quitte Vergy pour revenir à Verrières. Le lendemain de son arrivée, à six heures du matin, le curé Chélan le fait appeler.

« Je ne vous demande rien, lui dit-il, et même, je vous donne l'ordre de ne rien me dire ; dans trois jours vous devrez être parti pour le séminaire de Besançon ou pour la maison de votre ami Fouqué, toujours prêt à vous prendre avec lui. J'ai tout préparé, tout arrangé, mais il faut partir, et ne pas revenir à Verrières avant au moins un an. »

Julien ne répond pas...

Il sort et court prévenir madame de Rênal qu'il trouve très malheureuse.

« Je ne sais pas ce que je ferai sans toi, lui dit-elle, mais si je meurs, promets-moi de ne jamais oublier mes enfants. Donne-moi ta main. Adieu*, mon ami. »

Ces adieux simples touchent Julien.

« Non, je ne reçois pas ainsi vos adieux. Je partirai, vous le voulez vous-même. Mais, dans trois jours, je reviendrai vous voir, de nuit. »

Ces mots font plaisir à madame de Rênal. Julien veut la revoir : donc il l'aime bien ! Sa peine se change en joie, la plus grande joie de sa vie.

Enfin, le jeune homme part. Il pense à toutes les bonnes heures passées avec madame de Rênal. Il se rappelle ce qu'il lui a promis quand son fils était si malade et qu'elle se condamnait.

Pendant ces trois jours, la jeune femme compte les heures, les minutes. La nuit du troisième jour arrive. Julien paraît devant elle. « C'est la dernière fois que je le vois, pense-t-elle. Il est impossible d'être plus malheureuse que je le suis. J'espère que je vais mourir. »

Quand le jour se lève, Julien s'en va. Il pense à cette femme qu'il a tant aimée. Souvent il se retourne.

Quand il aperçoit Besançon, il se dit : « Quelle différence, si j'arrivais dans cette belle ville de guerre pour être lieutenant* dans une armée chargée de la défendre !... » Il voit de loin la porte du séminaire, il approche à pas lents et les jambes tremblantes.

Enfin, il se décide à sonner. Au bout de dix minutes, un homme habillé de noir vient lui ouvrir. Il a un visage triste et sérieux. Julien le regarde; son cœur se met à battre très vite, et, d'une voix faible, il explique qu'il voudrait parler à M. Pirard, le directeur du séminaire.

Sans dire un mot, l'homme noir fait un mouvement de la main; Julien comprend qu'il doit le suivre. Ils montent deux étages, et l'homme le fait entrer dans une pièce sombre et basse. Là, Julien est laissé seul. Il a grand-peur : un silence de mort pèse sur toute la maison.

Au bout d'un quart d'heure, qui lui paraît une journée, l'homme revient et fait encore un mouvement de la main. Julien avance. Il entre dans une pièce plus grande que la première et fort mal éclairée. Dans un coin près de la porte, Julien voit en passant un lit de bois, deux chaises et un petit fauteuil*. Au fond de la pièce, près d'une étroite fenêtre aux vitres sales, il aperçoit un homme assis devant une table.

Julien reste debout vers le milieu de la pièce, à l'endroit où on l'a laissé.

Dix minutes passent ainsi.

L'homme qui écrivait lève la tête. Julien, frappé par le regard terrible de deux petits yeux noirs, ne peut faire un seul mouvement.

« Voulez-vous approcher, oui ou non? » lui dit-on.

Julien s'avance d'un pas tremblant; et enfin, près de tomber, il s'arrête à deux mètres de la petite table.

« Plus près! »

Julien s'avance encore en tendant la main, comme quelqu'un qui cherche à s'accrocher à quelque chose.

« Votre nom?

— Julien Sorel.

— Vous êtes bien en retard », lui dit-on, en lançant sur lui un regard fort sombre.

Ce regard enlève à Julien ses dernières forces; il tend la main, et tombe sur le plancher.

L'homme sonne. Julien ne voit plus rien et n'a pas la force de faire un mouvement; mais il entend des pas qui s'approchent. On le porte sur le petit fauteuil...

Quand Julien peut ouvrir les yeux, il se dit : « Il faut avoir du courage, et surtout cacher ce que je sens. »

En face de M. Pirard

Enfin l'homme, qui s'est remis à écrire, lève la tête; il regarde Julien de côté :

« Avez-vous la force de me répondre?

— Oui, monsieur, dit Julien d'une voix faible.

— C'est heureux! M. Chélan, le meilleur curé de la région et mon ami depuis trente ans, m'a écrit pour que je m'occupe de vous.

— Ah! c'est à M. Pirard que j'ai l'honneur* de parler.

L'abbé Pirard, directeur du séminaire de Besançon.

— Sans doute, reprend le directeur, qui continue; j'ai ici trois cent vingt et un jeunes gens qui veulent être prêtres. Sept ou huit seulement me sont envoyés par des hommes comme M. Chélan. Ainsi, vous allez être le neuvième. Je vais donc m'occuper de vous, mais je vous demanderai beaucoup plus qu'aux autres. Allez, fermez cette porte à clef. »

Julien fait un effort pour marcher et réussit à ne pas tomber. Il remarque qu'une petite fenêtre, à côté de la porte d'entrée, donne sur la campagne. Il regarde les arbres; cette vue lui fait autant de bien que s'il apercevait d'anciens amis.

« *Loquerisne linguam latinam?* (Parlez-vous latin?) lui demande le directeur quand il revient.

— *Ita, pater optime* (oui, mon très cher père) », répond Julien, reprenant quelques forces.

Et c'est en latin qu'ils continuent et parlent de théologie. M. Pirard est étonné que ce jeune homme sache tant de choses; son regard devient alors plus doux.

Maintenant, Julien se sent vraiment très bien : il est maître de lui, et, pendant trois heures, il répond à toutes les questions de M. Pirard, qui lui dit à la fin : « Dans cette maison, mon très cher fils, entendre, c'est obéir. »

Ensuite, le directeur sonne. Un homme entre. « Allez installer Julien Sorel dans la chambre nº 103 », dit M. Pirard.

C'est une petite chambre, au dernier étage de la maison; Julien remarque qu'elle donne sur la campagne et qu'il y vivra seul. Il s'assoit près de la fenêtre sur la chaise de bois, et tombe tout de suite dans un profond sommeil.

Ce n'est pas la lumière du jour, mais celle du soleil qui réveille Julien le lendemain matin; il se trouve alors couché sur le plancher.

Il se dépêche de descendre : il est en retard. Des centaines de regards curieux se tournent vers Julien; on ne trouve chez lui que silence : il regarde ses trois cent vingt et un camarades comme des ennemis. Il ne voit dans leurs yeux sans vie qu'un seul plaisir : celui de manger. Ainsi sont ces gens, et c'est au milieu d'eux qu'il devra se montrer le meilleur.

Il travaille beaucoup et réussit très vite à apprendre des choses fort utiles à un prêtre. Mais, même en se faisant remarquer le moins possible, il ne peut pas plaire, il est trop différent.

La chance de Julien

Un matin, le directeur fait appeler Julien.

« Je suis assez content de votre travail; mais quand vous faites quelque chose, vous ne pensez pas où cela peut conduire : vous l'oubliez toujours. Je vous trouve bon et intelligent. Je vois en vous un feu qu'il ne faut pas éteindre.

« Après quinze ans de travaux, on va bientôt m'obliger à quitter cette maison. Avant mon départ, je veux faire quelque chose pour vous. Je vous nomme maître d'études pour la *sainte Bible*. »

Julien, fou de bonheur, a l'idée de se jeter à genoux et de remercier* Dieu; mais il se laisse aller à un mouvement plus vrai. Il s'approche de M. Pirard et lui prend la main, qu'il porte à ses lèvres.

« Qu'est-ce que cela veut dire? » crie le directeur.

Les yeux de Julien montrent une joie profonde. M. Pirard le regarde alors étonné, puis continue d'une voix plus douce :

« Eh bien! oui, mon enfant, je t'aime beaucoup. Je vois en toi quelque chose qui te met au-dessus des autres. Ta vie sera difficile : on ne t'aimera pas. Partout où Dieu te placera, on sera toujours fort méchant avec toi; et si on a l'air de t'aimer, ce sera pour te faire plus sûrement du mal... Ne demande qu'à Dieu de t'aider. »

Depuis longtemps, Julien n'a pas entendu une voix amie; il se met à pleurer. M. Pirard lui ouvre les bras; ce moment est bien doux pour tous les deux...

Le directeur a quelques ennemis à Besançon où il s'occupe depuis près de douze ans des affaires du marquis de La Mole; mais celui-ci, apprenant qu'on va bientôt réussir à chasser M. Pirard de son séminaire, lui offre de diriger une église importante près de la capitale...

Quelques jours après, le directeur part pour Paris et va d'abord remercier M. de La Mole, qui lui dit à un moment :

« Vous me plaisez, et même j'oserais ajouter : je vous

aime. Voulez-vous être mon secrétaire*? Vous pourrez quand même continuer à vous occuper de votre église... »

M. Pirard refuse; mais, comprenant que le marquis a vraiment besoin de quelqu'un, il a une idée.

« J'ai laissé au fond de mon séminaire un pauvre jeune homme qui, si je ne me trompe pas, va y être bien malheureux. Jusqu'ici, ce jeune homme ne connaît que le latin; mais il n'est pas impossible qu'un jour il réussisse de grandes choses. Je ne sais pas ce qu'il fera; mais il veut réussir, il peut aller loin.

— D'où est ce jeune homme?

— De Verrières... il m'a été présenté par M. Chélan, qui m'a écrit beaucoup de bien de ce jeune Julien Sorel. Peut-être pourriez-vous essayer d'en faire votre secrétaire, il a de la volonté, il est intelligent...

— Pourquoi pas? »

Le marquis prend un billet de mille francs :

« Envoyez cet argent à Julien Sorel; faites-le-moi venir tout de suite.

— On voit bien que vous habitez Paris; là-bas, on ne voudra pas le laisser partir, on me répondra qu'il est malade, la poste aura perdu les lettres, etc., etc.

— Je ferai écrire à l'évêque, répond M. de La Mole.

— J'oubliais une chose, dit M. Pirard : ce jeune homme est un fils d'ouvrier, mais il est fier; il ne sera pas utile dans vos affaires, si l'on blesse son orgueil.

— Cela me plaît; j'en ferai le camarade de mon fils, est-ce assez? »

L'arrivée à Paris

Quelque temps après, l'évêque de Besançon fait venir Julien et le reçoit avec une grande bonté* :

« Quel plaisir pour moi d'apprendre que vous êtes appelé par le marquis de La Mole. A Paris, vous pourrez réussir de grandes choses... »

Le soir même, Julien est chez Fouqué; celui-ci est plus étonné qu'heureux de la vie qu'aura son ami.

« Cela finira par une place offerte par le gouvernement, et ainsi, on ne dira pas toujours du bien de toi dans les journaux. Rappelle-toi : il vaut mieux gagner deux mille francs dans un bon commerce de bois, où l'on est son maître, que recevoir quatre mille francs du gouvernement. »

Julien ne voit dans tout cela que les idées d'un homme simple de la campagne. Lui, il va enfin devenir quelqu'un d'important. Le bonheur d'aller à Paris cache tout à ses yeux.

Le lendemain, vers midi, il arrive à Verrières; il est le plus heureux des hommes. Il s'arrête d'abord chez le bon curé Chélan et lui trouve un visage dur, presque méchant.

« Vous allez déjeuner avec moi; pendant ce temps, on ira vous louer un autre cheval, et vous quitterez Verrières sans y voir personne.

— Entendre, c'est obéir », répond Julien; et il ne parle plus que de théologie et de beau latin...

Le cheval est amené. Julien part... mais à quelques kilomètres, il s'arrête et entre dans un bois pour y attendre la nuit. Elle est noire.

Vers une heure du matin, il est sous la fenêtre de la chambre de madame de Rênal. Il est décidé à revoir cette femme tant aimée ou à mourir. Le cœur battant, il jette de petites pierres contre ses volets...

La fenêtre s'ouvre; Julien monte par une échelle et serre dans ses bras madame de Rênal toute tremblante.

« Malheureux! que faites-vous? lui dit-elle, pouvant à peine parler.

— Je viens vous voir après quatorze mois de malheur passés loin de vous.

— Sortez, laissez-moi!

— Je ne vous quitterai pas sans vous avoir parlé. E_ possible que vous ne m'aimiez plus? »

Ne pouvant pas lui répondre, elle pleure.

« *Madame de Rênal se jette dans ses bras.* »

« Je suis donc oublié de la seule personne qui m'a aimé! Alors, pourquoi vivre? » dit-il, et il pleure longtemps en silence.

« Dites-moi ce qui vous est arrivé? demande-t-il enfin.

— J'ai été très malheureuse loin de vous. Maintenant, la bonté de M. Chélan a rendu ma vie assez tranquille. Julien, soyez un ami pour moi... le meilleur de mes amis. Ne pleurez pas, vous me faites tant de peine... »

Assis à côté de la jeune femme qu'il aime tant, il la serre dans ses bras et continue à pleurer. Il dit enfin :

« Madame, je vous quitte pour toujours. Je vais à Paris. Soyez heureuse. Adieu. »

Il fait quelques pas vers la fenêtre. Il l'ouvre. Madame de Rênal court vers lui et se jette dans ses bras.

Le jour arrive. Julien, fou d'amour, demande à la jeune femme de passer toute la journée caché chez elle, et de partir seulement la nuit suivante.

« Et pourquoi pas? » répond-elle.

Le lendemain, quand Julien traverse le jardin de madame de Rênal, on tire sur lui des coups de fusil. Il n'est pas touché. Une heure après, il est loin de Verrières.

Arrivé à Paris, il va voir M. Pirard; celui-ci lui explique la vie qui l'attend chez M. de La Mole.

« Si au bout de quelques mois vous n'êtes pas utile, vous retournerez à Besançon. Vous allez vivre chez le marquis, l'un des plus grands hommes de France. Vous serez habillé en noir. Je veux que, trois fois par semaine, vous suiviez vos études en théologie dans un séminaire, où je vous ferai présenter. Chaque jour, vous vous installerez dans la bibliothèque* de M. de La Mole, qui veut vous employer à faire des lettres pour ses affaires. Il écrit, en deux mots, en bas de chaque lettre qu'il reçoit, la réponse qu'il faut y donner. J'ai promis qu'au bout de trois mois vous sauriez faire ces réponses de façon que, sur douze que vous présenterez, il puisse en signer huit ou neuf. Le soir, à huit heures, vous mettrez son bureau en ordre, et à dix vous serez libre.

« Il se peut, continue M. Pirard, que quelque vieille dame, ou quelque homme à l'air doux et gentil vous offre de l'argent pour lui montrer les lettres reçues par le marquis...

— Ah! monsieur! dit Julien en rougissant.

— Oh! vous ne connaissez pas les hommes!... Enfin, M. de La Mole vous donne pour commencer un salaire de deux mille francs. S'il est content, vous pourrez recevoir ensuite jusqu'à huit mille francs. Mais vous sentez bien qu'il ne donne pas tout cet argent pour vos beaux yeux. Il faut être utile...

« Ah! j'oubliais la famille de M. de La Mole. Il a deux enfants, une fille et un fils de dix-neuf ans, toujours bien habillé, un peu fou, qui ne sait jamais à midi ce qu'il fera à deux heures. Le marquis espère, je ne sais pas pourquoi, que vous deviendrez l'ami du jeune Norbert... Je ne vous ai parlé aussi longtemps que pour vous aider à mieux réussir.

— Mon père ne m'a jamais aimé; c'est un de mes grands malheurs; mais je ne me plaindrai plus maintenant : j'ai retrouvé un père en vous, monsieur...

— C'est bon! c'est bon! dit M. Pirard, assez gêné. Allons prendre une voiture, et je vais vous présenter tout de suite à M. de La Mole. »

Entrée dans le monde

Avant d'arriver au cabinet du marquis, M. Pirard et Julien traversent au premier étage des salles aussi tristes que belles. Enfin, ils entrent dans la plus laide des pièces de ce si grand appartement : il y fait très sombre; là, se trouve un petit homme maigre aux yeux pleins de vie. C'est M. de La Mole.

Le marquis de La Mole, l'un des plus grands hommes de France.

Moins de trois minutes plus tard, M. Pirard et Julien remontent en voiture; ils s'arrêtent près d'un boulevard.

M. Pirard conduit Julien chez un tailleur, puis il lui dit en sortant :

« Maintenant, je vous rends votre liberté. Dans deux jours, vous serez habillé de neuf. C'est à ce moment-là seulement que vous pourrez être présenté à madame de La Mole. Le matin, on vous portera vos nouveaux vêtements. A midi, soyez chez moi... Ah!... j'oubliais : allez commander des chaussures, des chemises et un chapeau aux adresses que voilà. »

Julien regarde les adresses.

« Elles sont écrites de la main de M. de La Mole, dit M. Pirard; il pense à tout. Il vous prend près de lui pour que vous pensiez à sa place à ces sortes de choses. Pourrez-vous bien comprendre tout ce que cet homme vous dira à demi-mot? C'est ce que les prochains mois montreront... »

Deux jours plus tard, Julien se trouve seul dans une bibliothèque fort belle; ce moment est vraiment très agréable. Pour que personne ne puisse voir son profond bonheur, il va se cacher dans un petit coin sombre; de là, il admire les dos clairs de ces si nombreux livres : « Je pourrai lire tout cela, se dit-il. Et comment ne me plairais-je pas ici? »

A six heures, le marquis le fait appeler; il le présente à une femme, grande, blonde et assez forte : c'est madame de La Mole, qui ne le regarde presque pas. Julien voit aussi quelques hommes, et il reconnaît avec plaisir le jeune évêque d'Agde.

Un joli jeune homme, grand et mince, entre vers six heures et demie; il a une tête fort petite.

« Vous vous ferez toujours attendre », dit la marquise à qui il embrasse la main.

Julien comprend que c'est le fils Norbert. Il le trouve assez agréable.

On se met à table. Julien aperçoit une jeune personne, très blonde et fort bien faite, qui vient s'asseoir en face de lui. Elle ne lui plaît pas; mais, en la regardant avec attention, il pense qu'il n'a jamais vu des yeux aussi beaux. Mademoiselle

Mathilde, c'est ainsi qu'il l'entend nommer, est la fille de la maison.

Vers la fin du repas, M. de La Mole dit à son fils :

« Norbert, je te demande d'être gentil avec M. Julien Sorel, que je viens de prendre pour travailler avec moi.

« C'est mon secrétaire », ajoute-t-il à son voisin.

On regarde Julien; il baisse un peu la tête pour saluer et tout le monde est content de son regard.

Les premiers pas

Le jour suivant, Julien écrit des lettres dans la bibliothèque, quand mademoiselle de La Mole ouvre une petite porte fort bien cachée par des livres. Pendant que Julien admire cette porte difficile à remarquer, mademoiselle de La Mole est assez gênée de le rencontrer là. Elle a l'habitude de prendre des livres dans la bibliothèque de son père sans que personne ne la voie. Mais Julien est là ce matin, aussi ne peut-elle rien emporter...

M. Norbert vient dans la bibliothèque vers les trois heures; il veut lire un journal. Il trouve Julien qu'il a déjà oublié. Il est quand même très gentil.

« Voulez-vous faire une promenade à cheval avec moi? lui demande-t-il; mon père nous laisse libres jusqu'au dîner.

— Mon Dieu, M. Norbert, monter à cheval, mais cela ne m'est pas arrivé six fois dans ma vie.

— Eh bien, ce sera la septième », répond Norbert.

En vérité, Julien, se rappelant l'entrée du roi à Verrières, croit monter à cheval mieux que les autres...

Au dîner, M. de La Mole, voulant parler à Julien, lui demande des nouvelles de sa promenade; Norbert se presse de répondre sans dire ce qui est arrivé.

« M. Norbert est très bon pour moi, reprend Julien. Je l'en remercie beaucoup. Il a bien voulu me faire donner le cheval le plus doux et le plus beau; mais il ne pouvait pas m'y attacher! Aussi je suis tombé au milieu de cette rue si longue, près du pont. »

Mademoiselle Mathilde est prise d'un grand rire qu'elle essaie de cacher sans y arriver; ensuite, curieuse, elle demande comment cela s'est passé. Julien en parle fort naturellement.

« Je crois que ce petit prêtre est très bien, dit le marquis à son voisin; il est simple, et même, il raconte son malheur devant les dames! »

A la fin du dîner, mademoiselle Mathilde pose encore des questions à son frère. Julien, rencontrant ses yeux plusieurs fois, ose répondre lui-même. Bientôt, tous trois se mettent à rire comme trois jeunes gens d'un village au fond des bois.

Le lendemain, Julien suit deux leçons de théologie, et revient ensuite écrire une vingtaine de lettres.

A quatre heures, il se décide à aller chez M. Norbert. Celui-ci, prêt à monter à cheval, est vraiment très gêné; mais il est fort poli.

« Les amis de la maison fatiguent aussi mademoiselle de La Mole. » Illustration d'après Eugène Lami.

« Je pense, dit-il à Julien, que bientôt vous allez prendre des leçons; ensuite, je serai très heureux de monter à cheval avec vous.

— Je voulais vous remercier de tout ce que vous avez fait pour moi; croyez, monsieur, ajoute Julien d'un air fort sérieux, que je sens tout ce que je vous dois. J'ai manqué d'adresse hier; mais si votre cheval n'est pas blessé, et s'il est libre, j'aimerais que vous me le prêtiez aujourd'hui.

— Mais, mon cher Sorel, c'est vous qui pouvez avoir un accident, ce n'est pas moi! Allez, il est déjà quatre heures, nous n'avons pas de temps à perdre. »

Une fois à cheval, Julien demande :

« Que faut-il faire pour ne pas tomber?

— Bien des choses, répond Norbert en riant très fort : par exemple, tenir le corps en arrière. »

Vingt fois, Julien est près de tomber, mais enfin la promenade finit sans accident. En rentrant, Norbert dit à sa sœur : « Je vous présente un jeune homme qui a vraiment l'amour du danger! »

M. de La Mole et son secrétaire

Un matin, M. Pirard travaille avec Julien dans la bibliothèque.

« Monsieur, dîner tous les jours avec madame de La Mole, est-ce un de mes devoirs, ou est-ce une bonté que l'on a pour moi?

— C'est un rare honneur! et il est refusé à bien des gens!

— Peut-être, mais c'est pour moi, monsieur, la partie la plus pénible* de mon service. Quelquefois, je vois que les amis de la maison fatiguent aussi mademoiselle de La Mole et elle, elle doit avoir l'habitude! Moi, j'ai peur de m'endormir. »

Un bruit léger leur fait tourner la tête. Julien aperçoit Mathilde qui écoute. Il rougit. Elle est venue chercher un livre et a tout entendu. Elle voit alors Julien d'une façon différente : « Celui-là n'est pas né à genoux », pense-t-elle.

Pendant le dîner, Julien n'ose pas regarder mademoiselle de La Mole, mais elle, elle a la bonté de lui parler...

Plusieurs mois après, Mathilde et sa mère sont à Hyères. M. Norbert ne voit jamais son père bien longtemps : ils n'ont aucun plaisir à parler ensemble. Le marquis est tombé malade et ne peut pas sortir de chez lui, il n'a donc plus que son secrétaire.

Il le trouve bien utile à cause de son travail sérieux, et il aime son silence. Julien, qu'il juge intelligent, s'occupe de toutes les affaires un peu difficiles à arranger. C'est même lui qui doit lire le journal, et, bien vite, il a su choisir ce qui intéressait M. de La Mole.

Un jour, le marquis dit à Julien :

« Permettez, mon cher Sorel, que je vous offre cet habit* bleu : quand vous voudrez le mettre et venir chez moi, vous serez, à mes yeux, le fils de mon meilleur ami. »

Julien ne comprend pas pourquoi. Le soir même, il se met en habit bleu et va voir M. de La Mole. Le marquis le reçoit comme une personne de grande famille. Quand Julien se lève pour sortir, M. de La Mole s'excuse de ne pas pouvoir le conduire jusqu'à la porte à cause de sa maladie.

Julien ne comprend plus rien : « Se moquerait-il de moi? » pense-t-il.

Le lendemain matin, Julien, habillé de noir, se présente au marquis, avec ses lettres à signer. Il est alors reçu comme d'habitude. Le soir, en habit bleu, c'est tout à fait différent, et M. de La Mole le reçoit encore comme un homme impor-tant.

Pendant des mois, le maître et le secrétaire prennent beaucoup de plaisir à se rencontrer. Et le soir, quand Julien est en habit bleu, ils ne parlent jamais d'affaires.

Un jour, Julien, habillé de noir, amuse M. de La Mole, qui le garde deux heures et veut lui donner quelques billets.

« J'espère, Monsieur, ne pas manquer au profond respect

que je vous dois en vous demandant de me permettre de dire un mot.

— Parlez, mon ami.

— Que Monsieur le Marquis veuille bien me voir refuser cet argent. Ce n'est pas à l'homme habillé de noir qu'il est donné, et il perdrait tout à fait les bontés que l'on a pour l'homme en habit bleu. »

Il salue avec beaucoup de respect, et sort sans regarder.

Cette réponse amuse M. de La Mole, qui comprend la solide volonté de son secrétaire; et, chaque jour, il le charge de quelque nouvelle affaire.

Mathilde de La Mole

Au printemps suivant, Julien, revenant de la terre de Villequiers, sur les bords de la Seine, trouve madame de La Mole et sa fille qui arrivent d'Hyères.

Mathilde pense à la vie tout à fait triste qu'elle va reprendre à Paris; et, à Hyères, elle voulait être à Paris!

« J'ai dix-neuf ans! pense-t-elle, et c'est l'âge du bonheur!... disent tous les gens bêtes. » Ses yeux si beaux s'arrêtent alors sur Julien. « Lui, il ne ressemble pas aux autres », se dit-elle.

« Monsieur Sorel, venez-vous ce soir danser chez M. de Retz?

— Mademoiselle, je n'ai pas eu l'honneur d'être présenté à M. de Retz.

— Il a demandé à mon frère de vous amener chez lui. » Julien ne répond pas.

« Venez avec mon frère », ajoute-t-elle, d'une voix fort sèche. Julien salue avec respect.

« Cette grande fille ne me plaît pas! pense-t-il en regardant marcher mademoiselle de La Mole, que sa mère a appelée. Sa robe lui tombe des épaules; sa pâleur est encore plus grande qu'avant son voyage. Quels cheveux sans couleur, tellement ils sont blonds! On dirait que le jour les traverse! »

Mademoiselle de La Mole parle à son frère au moment où il va sortir. Puis celui-ci s'approche de Julien :

« Mon cher Sorel, où voulez-vous que je vous prenne à minuit pour aller chez M. de Retz?

— Je sais bien à qui je dois tant de bontés, » répond Julien en saluant jusqu'à terre...

En arrivant chez M. de Retz, Julien entre dans la première salle où l'on danse. On se presse à la porte de la deuxième, et il lui est impossible d'avancer.

Il entend tout le monde dire que mademoiselle de La Mole est la plus belle. Julien fait tous ses efforts pour l'apercevoir; mais sept ou huit jeunes gens plus grands que lui l'empêchent de la voir. Enfin, il peut entrer dans cette deuxième salle. « Tout le monde la trouve la plus jolie, elle vaut donc la peine que je la regarde avec plus d'attention, pense-t-il. Je comprendrai ainsi ce qui est le plus beau pour ces gens-là. »

Il la recherche des yeux, Mathilde le regarde. Entre elle et lui, se trouvent cinq ou six jeunes gens : il reconnaît ceux qu'il a entendus à la porte.

« Vous, monsieur, qui avez été ici tout l'hiver, lui dit-elle, n'est-il pas vrai que cette fête est la plus belle de la saison? »

Les jeunes gens se retournent pour voir quel est l'homme heureux à qui on demande une réponse.

« Je ne pourrais pas être un bon juge, mademoiselle; je passe ma vie à écrire. »

Sans le vouloir, elle suit Julien des yeux. Il s'est reculé un peu, d'un air plein de respect, mais assez fier. Elle aperçoit dans un coin, loin de tout ce monde remuant, M. Altamira, condamné à mort dans son pays à cause de ses idées qu'on a jugées trop libres.

« Quel honneur pour un homme d'être condamné à mort! pense Mathilde. C'est la seule chose qui ne s'achète pas. »

De nombreux jeunes gens se sont approchés de mademoiselle de La Mole; elle promène ses regards sur ces jeunes Français et se dit : « Quel est celui qui pourrait se faire condamner à mort?... »

« Quel est celui qui pourrait se faire condamner à mort?... » Gérard Philipe et Antonella Lualdi dans le film de Claude Autant-Lara.

Mathilde danse avec M. Altamira en cherchant Julien des yeux. Antonella Lualdi et Georges Descrières dans le film de Claude Autant-Lara.

Mademoiselle de La Mole se met à danser pour ne plus penser. Elle cherche Julien des yeux et l'aperçoit dans une autre salle. « Il cause avec M. Altamira, mon condamné à mort! » se dit Mathilde.

Il passe près d'elle, leurs yeux se rencontrent, mais il n'y fait pas attention : son esprit est trop occupé!

Elle danse jusqu'au matin, et enfin part, fatiguée, triste et malheureuse : Julien n'a pas fait du tout attention à elle, et elle ne peut pas s'empêcher de penser à lui.

Une lettre

Depuis cette soirée, Julien parle de longues heures avec mademoiselle de La Mole; et, quelquefois, après le dîner, ils se promènent ensemble dans le jardin. Julien s'intéresse maintenant à tout ce qu'elle lui dit. Il oublie même qu'il est un jeune homme pauvre; il trouve qu'elle est intelligente, et aussi qu'elle a assez d'esprit.

« A quoi pensez-vous, Monsieur », lui demande-t-elle un soir.

Par orgueil, Julien dit vraiment tout ce qu'il pense. Il rougit beaucoup en racontant sa vie de pauvre à une personne aussi riche; mais il cherche à bien montrer par son air fier qu'il ne demande rien. Il n'a jamais semblé aussi beau à Mathilde...

Quelques semaines plus tard, Julien se promène dans le jardin; son visage n'a plus cet air dur et froid où se lisait sa peine de se sentir moins que les autres. Il vient de conduire jusqu'à la porte mademoiselle de La Mole qui disait s'être fait mal au pied, en courant avec son frère.

« Elle a tenu mon bras d'une façon bien étonnante! pense Julien. Serait-il vrai que je lui plais? Elle m'écoute d'un air si doux, même quand je lui dis tout ce qui blesse mon orgueil! Elle qui est si fière avec tout le monde! Très certainement, cet air doux et bon, elle ne l'a avec personne! »

Les journées de Julien passent alors comme des heures. A chaque moment, cherchant à s'occuper de quelque affaire sérieuse, son esprit se perd; il se réveille un quart d'heure après, le cœur battant, et pensant à cette idée : « M'aime-t-elle? »

Un soir, Julien, qui a suivi M. de La Mole dans son bureau, revient vite au jardin. Mathilde est au milieu d'un groupe de jeunes gens; à quelques mètres d'eux, Julien entend son nom; il s'approche; tout le monde se tait. En voyant ces regards sans amitié tournés vers lui, il s'en va.

« Ces jeunes gens ont-ils décidé de se moquer de moi? Il faut reconnaître que cela est beaucoup plus naturel que l'amour de mademoiselle de La Mole pour un pauvre secrétaire! Leur adresse m'écrasera, je suis si peu adroit! il faut partir et mettre fin à tout cela. »

Le marquis vient de demander à Julien de s'occuper des nombreuses terres et maisons qu'il a en Languedoc. Un voyage est nécessaire; mais M. de La Mole ne voudrait pas que son secrétaire parte. Enfin, toutes les bonnes raisons données par Julien arrivent à le décider... « Eh bien! j'ai été plus adroit qu'eux », se dit Julien, en préparant son départ.

Il n'en a pas parlé; mais le lendemain, Mathilde sait mieux que lui qu'il va quitter Paris le jour suivant, et pour long-temps. Ce soir-là, elle dit qu'elle a mal à la tête, et elle se promène dans le jardin. Elle se moque beaucoup de son frère et des quelques jeunes gens qui ont dîné chez elle. Alors, ils partent, et elle peut rester seule avec Julien. Elle le regarde avec des yeux tristes.

« Ce regard est peut-être voulu, pense Julien, mais elle respire vite!... Allons!... Qui suis-je, pour juger de toutes ces choses? »

Ils ne trouvent rien à se dire. « Non! Julien ne sent rien pour moi », se répète Mathilde, vraiment malheureuse.

Au moment où il veut la saluer pour partir, elle lui serre le bras avec force :

« Vous recevrez tout à l'heure une lettre de moi », lui dit-elle d'une voix qu'il ne reconnaît pas. Julien est touché.

« Mon père, continue-t-elle, connaît tout le prix des services que vous lui rendez. Il faut ne pas partir demain. Trouvez une raison. » Et elle s'en va en courant.

Une heure après, un domestique remet une lettre à Julien.

Julien se décidera-t-il?

« Votre départ m'oblige à parler... Il serait au-dessus de mes forces de ne plus vous voir... »

« Enfin, se dit Julien, moi, pauvre paysan, j'ai donc une lettre d'amour d'une grande dame! Pour moi, ce n'est pas mal, ajoute-t-il, en cachant sa joie le plus possible. J'ai su rester fier. Je n'ai pas dit que j'aimais. »

Julien marche dans le jardin, fou de bonheur. Puis, il demande à voir M. de La Mole, qui heureusement n'est pas sorti. Avec quelques lettres, il lui montre facilement qu'il est obligé de remettre son départ pour le Languedoc. « Je suis bien content que vous restiez, lui répond le marquis, j'aime vous voir. »

Julien sort, mais ces derniers mots le gênent.

Le lendemain matin, Julien est dans la bibliothèque; mademoiselle de La Mole paraît à la porte. Il lui remet sa réponse. Il pense qu'il est de son devoir de lui parler; rien n'est plus facile, mais mademoiselle de La Mole ne veut pas l'écouter et se sauve.

« J'ai peut-être fort mal fait de rester à Paris, pense Julien; mon départ remis ne me sert à rien, si tout cela n'est qu'un jeu. Quel danger y avait-il à partir? Je me moquais d'eux, s'ils se moquent de moi! »

Vers les neuf heures, mademoiselle de La Mole revient, lui jette une lettre et se sauve encore.

Il se donne le plaisir de s'amuser, pendant deux pages, des personnes qui voudraient se moquer de lui; et c'est encore par des mots amusants que, vers la fin de sa réponse, il parle de son départ décidé pour le lendemain matin. Quand cette lettre est finie, il se dit : « Le jardin va me servir pour la remettre... »

Il regarde la fenêtre de la chambre de mademoiselle de La Mole. Elle paraît derrière sa vitre; il montre sa lettre; elle baisse la tête. Julien remonte chez lui en courant, et rencontre, dans le grand escalier, la belle Mathilde, qui prend vite sa lettre avec beaucoup de naturel et des yeux pleins de plaisir.

A cinq heures, Julien reçoit une troisième lettre; elle lui est lancée de la porte de la bibliothèque. « Quelle drôle d'habitude d'écrire, se dit-il en riant, quand on peut se parler si facilement! L'ennemi veut avoir des lettres de moi, c'est clair, et plusieurs! » Il ne se presse pas d'ouvrir celle-ci.

Enfin, il la lit, et son visage change de couleur.

« J'ai besoin de vous parler : il faut que je vous parle ce soir; au moment où une heure après minuit sonnera, trouvez-vous dans le jardin. Prenez la grande échelle près du puits; placez-la contre ma fenêtre et montez chez moi. Il fait clair de lune, mais ce n'est pas gênant. »

« Cela devient sérieux, pense Julien,... et un peu trop clair. Quoi? cette belle demoiselle peut me parler dans la bibliothèque avec une liberté qui est entière! C'est certain, on veut me perdre ou se moquer de moi. Comment? par le plus beau clair de lune du monde, monter ainsi par une échelle à un premier étage! On aura le temps de me voir, même des maisons voisines. De quoi aurai-je l'air, sur mon échelle! »

Julien va chez lui et se met à préparer ses affaires en chantant : il est décidé à partir et à ne pas répondre.

Mais il n'a quand même pas l'esprit en paix. « Si tout cela est sérieux, se dit-il, alors moi, je deviens vraiment, aux yeux de Mathilde, un homme sans courage et sans cœur! »

Dans sa chambre, il marche longtemps à pas rapides; il s'arrête quelquefois. « Quoi? je déciderais moi-même d'être moins que les autres! Et toute ma vie j'y penserai! Pour moi, ne pas oser serait le plus grand des malheurs. Je crois bien que je ne me pardonnerais jamais d'avoir été si faible. Si je refuse, je ne pourrai plus jamais regarder quelqu'un en face! Ne pas y aller, c'est avoir peur! »

Ces mots décident de tout.

Une heure du matin

Onze heures sonnent. Julien sort de sa chambre et va, sans bruit, regarder ce qui se passe dans la maison. Tout est tranquille. Alors, il descend et se place dans un coin sombre du jardin, où il reste un moment. Puis il va près de l'échelle; et de là, jusqu'à l'endroit où il pourra la poser. « Je ne dois faire aucune faute, pense-t-il, c'est une question d'honneur, et ce ne sera pas une raison à mes yeux de dire : je n'y ai pas pensé. »

Le temps est trop beau; vers les onze heures, la lune s'est levée; à minuit et demi, elle éclaire tout le mur donnant sur le jardin. « Elle est folle », se dit Julien...

Une heure sonne. De sa vie, Julien n'a eu autant de peur; il ne voit que des dangers, et n'a aucun plaisir.

Il est près de la très longue échelle et attend encore un moment; le profond silence de la nuit lui paraît naturel. A une heure cinq minutes, il pose l'échelle contre la fenêtre de Mathilde; il monte, le pistolet à la main, étonné que tout se passe bien. Il approche de la fenêtre, elle s'ouvre sans bruit :

« Vous voilà, monsieur, lui dit Mathilde, le cœur battant; je suis vos mouvements depuis une heure. »

Julien est fort gêné, il ne sait pas comment se conduire, il n'a pas d'amour du tout. La lune éclaire la chambre de mademoiselle de La Mole et fait des ombres noires. « Il peut fort bien y avoir là des hommes cachés, et il m'est impossible de les voir », pense Julien.

« Qu'avez-vous dans la poche de côté de votre veste? demande Mathilde, heureuse de trouver quelque chose à lui dire.

— J'ai toutes sortes d'armes et de pistolets, dit Julien, non moins content d'avoir quelque chose à répondre.

— Il faut enlever l'échelle, reprend Mathilde.

— Elle est très longue et peut casser les vitres des pièces en bas.

— Il ne faut pas casser les vitres, ajoute Mathilde, essayant de parler d'une voix naturelle; vous pourriez peut-être descendre l'échelle avec une corde; j'en ai toujours beaucoup chez moi. »

Julien attache une corde en haut de l'échelle; puis il la descend avec soin, en se penchant en dehors de la fenêtre pour qu'elle ne touche pas les vitres. « Beau moment pour me tuer, si quelqu'un est caché dans la chambre de Mathilde », pense-t-il; mais il y a toujours un silence profond dans la maison et le jardin.

L'échelle touche la terre, Julien arrive à la coucher dans les fleurs, le long du mur.

« Que va dire ma mère quand elle verra ses belles plantes

tout écrasées!... Il faut jeter la corde; si on l'aperçoit contre ma fenêtre, ce sera une affaire difficile à expliquer.

— Et comment moi m'en aller? dit Julien d'une voix riante, en essayant de parler comme une femme de chambre de la maison.

— Vous, vous en aller par la porte », dit Mathilde, heureuse de cette réponse.

« Ah! que j'ai raison de l'aimer! » pense-t-elle.

La colère de M. de La Mole

Quelques mois plus tard, un vieux domestique de M. de La Mole vient un soir chez Julien.

« Le marquis vous demande tout de suite. »

Le domestique ajoute à voix basse : « Je ne l'ai jamais vu dans une colère pareille, attention à vous! »

Julien trouve M. de La Mole qui semble avoir perdu la raison : il vient de recevoir une lettre de sa fille; elle lui écrit qu'elle aime Julien, qu'il est le père de son enfant et qu'elle sera sa femme.

Pour la première fois de sa vie, peut-être, le marquis emploie les mots les plus blessants qui lui viennent à la bouche.

« Je ne suis qu'un homme..., dit enfin Julien. Je vous ai bien servi, vous m'avez bien payé... mais j'ai vingt-deux ans... Dans cette maison, je ne suis compris que de vous, et de cette gentille jeune fille...

— Comment? crie le marquis. Gentille! gentille! Le jour où vous l'avez trouvée gentille, vous deviez vous sauver.

— J'ai essayé; je vous ai demandé de partir pour le Languedoc... »

Fatigué de marcher dans la pièce, M. de La Mole, écrasé par sa peine, se jette dans un fauteuil; Julien l'entend se dire à demi-voix : « Ce n'est pas là un méchant homme. »

« Non, je ne le suis pas pour vous », crie Julien en tombant à genoux.

Mais, lui, Julien, ne doit pas se jeter aux pieds des autres; bien vite, il se remet debout.

Ce dernier mouvement fait perdre la raison au marquis : il recommence à lui dire les mots les plus blessants : ceux qu'emploient seulement les gens mal élevés... Puis ces mots nouveaux semblent presque amuser M. de La Mole...

« Quoi? ma fille s'appellera madame Sorel! Quoi? ma fille ne sera pas une grande dame de Paris! »

Chaque fois que ces deux idées viennent à son esprit, M. de La Mole croit devenir fou.

Quand, enfin, le marquis pense moins à son malheur, il parle avec plus de raison.

« Il fallait vous sauver, Monsieur... Votre devoir était de partir... Vous êtes le dernier des hommes... »

Julien s'approche de la table et écrit : « Depuis longtemps la vie m'est trop pénible; j'y mets une fin. Je demande à Monsieur le Marquis, qui m'a beaucoup aidé et que je remercie du plus profond de mon cœur, de m'excuser si ma mort dans sa maison peut le gêner. »

« Que Monsieur le Marquis veuille bien lire ce papier... Tuez-moi, dit Julien, ou faites-moi tuer par votre domestique. Il est une heure du matin, je vais me promener dans le jardin, vers le mur du fond.

— Allez où vous voulez », lui crie M. de La Mole...

« Je comprends, pense Julien; il serait assez content que je n'oblige pas son domestique à me tuer... Qu'il me tue, d'accord, c'est un plaisir que je lui offre... Mais, bien sûr, j'aime la vie... Je dois vivre pour l'enfant de Mathilde, je dois vivre pour mon fils. »

Cette idée, qui pour la première fois lui vient à l'esprit, l'occupe tout entier après les premières minutes de promenade.

« Il me faut des conseils pour me conduire avec cet homme fou de colère... Il n'a plus sa raison; on ne sait pas ce qu'il peut faire. Fouqué est trop loin, et puis il ne comprendrait pas. Alors, il ne me reste que M. Pirard... »

Un grand ami

Le lendemain, de grand matin, Julien frappe à la porte de M. Pirard. Il ne le trouve pas tellement étonné.

« J'avais déjà compris cet amour; et c'est pour vous, petit malheureux, que je n'ai pas voulu prévenir le père...

— Que va-t-il faire? » demande Julien...

A Paris, Mathilde est fort malheureuse. Elle a vu son père vers sept heures. Il lui a montré la lettre de Julien. Elle tremble à l'idée qu'il mette fin à sa vie.

« S'il est mort, je mourrai, dit-elle à son père. C'est vous qui serez cause de sa mort... Vous en aurez du plaisir, peut-être... »

M. de La Mole ne trouve rien à répondre.

Au déjeuner, Mathilde ne paraît pas. Son père commence à voir les choses avec plus de raison; il est quand même assez heureux qu'elle ne soit pas à table et que madame de La Mole ne sache rien.

Vers midi, Julien arrive; quand il descend de cheval, Mathilde le fait appeler et se jette dans ses bras. En pleurant, elle lui apprend qu'elle a lu sa lettre.

« Mon père peut changer d'avis; soyez gentil, partez tout de suite pour Villequiers. Remontez à cheval, sortez de la maison avant qu'on se lève de table. »

Julien garde un air étonné et dur, alors elle se remet à pleurer.

« Laisse-moi conduire nos affaires, lui dit-elle en le serrant dans ses bras. Tu sais bien que ce n'est pas par plaisir que je te demande de partir... Écris-moi au nom de ma femme de chambre, fais faire l'adresse par quelqu'un d'autre; moi, je t'enverrai de très longues lettres... Au revoir! Sauve-toi! »

Ce dernier mot blesse l'orgueil de Julien; il part quand même...

Mathilde refuse tout ce que lui offre son père. Une seule chose l'intéresse : elle sera madame Sorel, et vivra pauvre en Suisse, ou chez son père à Paris. Devant tant de volonté,

« *Mathilde refuse tout ce que lui offre
son père.* »

le marquis a de dangereux mouvements de colère, puis,
fatigué, il finit par ne plus savoir ce qu'il doit décider. Dans
un moment de bonté, il dit à sa fille :

« Tiens! je vous donne dix mille francs par an; écris cela
à ton Julien. »

En recevant cette nouvelle, Julien revient et va habiter
chez M. Pirard qui, depuis son départ, est devenu l'ami le
plus utile de Mathilde. Toutes les fois qu'il répond aux questions du marquis, il lui montre que Mathilde et Julien
se marier : décider autre chose serait une très grande faute aux
yeux de Dieu...

M. de La Mole ne pense plus avoir raison de se mettre en
colère, mais il ne peut pas encore se décider à pardonner. « Si
ce Julien pouvait mourir par accident », se dit-il quelquefois...

Un cœur de père

Un mois après, c'est toujours la même chose, et Julien comprend que M. de La Mole n'a encore rien décidé dans cette affaire.

« Je ne veux pas savoir où est cet homme, dit-il un jour à sa fille; envoyez-lui cette lettre. »

Mathilde lit : « Les terres de Languedoc rendent 20 600 francs par an. Je donne 10 600 francs à ma fille, et 10 000 francs à M. Julien Sorel. Je donne les terres aussi, naturellement... »

« Je vous remercie beaucoup, dit Mathilde. Nous allons vivre en Languedoc. On dit que c'est un pays aussi beau que l'Italie. »

Cette bonté étonne beaucoup Julien. Il n'est plus l'homme sec et dur que nous avons connu : il ne pense plus qu'à la vie de son fils.

Pour Mathilde, sa grande, sa seule ambition est de se marier avec Julien.

Un jour, elle écrit à son père : « Je vais quitter la maison. J'irai chez M. Pirard; il nous mariera jeudi prochain, et une heure après, nous serons en route pour le Languedoc; nous ne reviendrons à Paris que si vous nous en donnez l'ordre. Je vous le demande à genoux, mon père, venez dans l'église de M. Pirard, jeudi prochain. »

En recevant cette lettre, M. de La Mole est bien gêné : il faut qu'il choisisse. Mais l'habitude l'emporte, il va gagner du temps en écrivant à sa fille : « Ne faites pas encore ce que vous avez décidé; M. Julien Sorel de La Vernaye est nommé lieutenant. Vous voyez ce que je fais pour lui. Ne me demandez rien. Qu'il parte pour l'armée dans vingt-quatre heures. »

L'amour et la joie de Mathilde sont sans fin : elle a gagné pour Julien; alors elle répond tout de suite : « Au milieu de cette grande bonté, mon père m'a oubliée. Je préviendrai M. de La Vernaye si vous me promettez que, le mois prochain, je me marierai en public, à Villequiers. Que je vous remercie, cher papa, de m'avoir sauvée du nom de Sorel ! »

Mathilde est étonnée de la réponse qu'elle reçoit : « Obéissez, ou je reprends tout ce que j'ai donné. Je ne sais pas encore ce qu'est votre Julien, et vous-même le savez moins que moi. Qu'il parte pour l'armée et fasse son devoir. Je ferai connaître mes volontés dans quelques jours. »

Elle se décide à obéir.

Le soir, quand elle apprend à Julien que Julien Sorel de la Vernaye est nommé lieutenant, celui-ci est fou de joie : on peut se l'expliquer par l'ambition de toute sa vie, et par l'amour qu'il a maintenant pour son fils. Il regarde Mathilde et pense : « Son père ne peut pas vivre sans elle, et elle sans moi. »

Un orage

Lieutenant depuis quelques jours seulement, Julien compte que, pour être un grand chef à trente ans, il lui faudrait déjà être plus que lieutenant. Il ne pense qu'à l'honneur et à son fils.

C'est à ce moment qu'il voit arriver un jeune domestique de la famille de La Mole. « Tout est perdu, lui écrit Mathilde; venez le plus vite possible. Attendez-moi dans une voiture près de la porte du jardin. J'irai vous parler. Tout est perdu, mais soyez sûr que vous me trouverez toujours pour vous aider dans le malheur. Je vous aime. »

Après un voyage rapide comme l'éclair, Julien arrive près de la petite porte du jardin de M. de La Mole. Cette porte s'ouvre, et Mathilde se jette dans ses bras. Heureusement, il n'est que cinq heures du matin et personne ne passe dans la rue.

« Tout est perdu; mon père, ne pouvant pas me voir pleurer, est parti dans la nuit de jeudi. Pour où? Personne ne le sait. Lisez sa lettre. » Et elle monte dans la voiture avec Julien.

« Je pouvais tout pardonner; mais je ne peux pas permettre qu'on cherche à se marier avec vous parce que vous êtes

riche. Voilà, malheureuse fille, la triste vérité. Soyez certaine
que je ne vous laisserai jamais vous marier avec cet homme.
Je lui donne dix mille francs par an s'il veut vivre au loin,
en dehors des frontières de France, ou mieux encore, en
Amérique... Lisez la lettre que m'envoie madame de Rênal.
Et c'est lui-même qui m'a demandé d'écrire à cette dame.
Rester à Paris et vous voir me font mal. Ne pensez plus à cet
homme bas et vous retrouverez un père. »

« Où est la lettre de madame de Rênal? demande Julien.
— La voilà. »

Cette lettre très longue est vraiment écrite de la main de
madame de Rênal.

« Je ne peux pas condamner M. de La Mole, dit Julien
après l'avoir lue; il a raison. Quel père voudrait donner sa
fille à un homme pareil! »

Sans ajouter un mot, Julien saute de la voiture et se met
à courir. Mathilde, qu'il semble avoir oubliée, fait quelques

« *Tout est perdu... mon père est parti
dans la nuit du jeudi.* »

pas pour le suivre; mais les regards des marchands, qui
s'avancent sur la porte de leurs boutiques et qui la connaissent, la forcent à rentrer au jardin.

Julien est parti pour Verrières. Il a demandé à une voiture
de le conduire très vite. Dans sa course rapide, il veut envoyer
une lettre à Mathilde, mais sa main ne peut pas écrire...

Il arrive à Verrières un dimanche matin. Il entre chez le
marchand d'armes du pays. Il a beaucoup de peine à lui faire
comprendre qu'il veut deux pistolets; il demande à l'homme
de les charger.

Trois coups sonnent : il voit les gens entrer dans l'église;
il y entre aussi. Il se trouve à quelques pas derrière madame
de Rênal. La vue de cette femme qui l'a tant aimé fait trembler
le bras de Julien. « Je ne peux pas, se dit-il à lui-même, je
n'en ai pas la force. »

A un moment, madame de Rênal baisse la tête; Julien ne
la reconnaît plus aussi bien; alors, il tire sur elle un coup
de pistolet et la manque; il tire un deuxième coup, elle
tombe.

Julien reste sans faire un mouvement, il ne voit plus rien.
Quand il revient un peu à lui, il voit que tout le monde se
sauve de l'église. Il se met à suivre d'un pas assez lent les
gens qui s'en vont en criant. Une femme veut se sauver plus
vite que les autres, elle le pousse, Julien tombe : il s'est accro-
ché les pieds à une chaise. En se remettant debout, il se
sent le cou serré par des mains : c'est un gendarme qui l'arrête.

A la prison de Verrières

Julien est conduit en prison*. On le laisse seul dans une
pièce. La porte se ferme sur lui à double tour; mais tout cela
n'intéresse pas son esprit...

« Eh bien! tout est fini, crie-t-il en revenant à lui... Oui,
dans quinze jours la mort... ou me tuer avant. »

Sa tête est lourde et lui fait mal. Enfin, il s'endort...

« *Il tire un deuxième coup, elle tombe.* »

Madame de Rênal est blessée. Le premier coup a traversé
son chapeau ; le deuxième l'a touchée à l'épaule au moment
où elle se retournait. Le médecin qui l'a soignée lui a dit :
« Je suis sûr que vous n'en mourrez pas. »

Alors, elle a senti une profonde peine. Depuis longtemps,
elle avait envie de mourir. Le départ de Julien l'avait rendue

très malheureuse. La lettre écrite à M. de La Mole lui a fait le plus grand mal.

Quand elle a été seule, elle a fait appeler Élisa, sa femme de chambre, et lui a dit en rougissant :

« Celui qui garde Julien à la prison est un homme méchant. Sans doute il sera très dur avec lui, croyant me faire plaisir... Cette idée me fait mal. En disant que cela vient de vous, ne pourriez-vous pas aller remettre à cet homme ce petit paquet qui contient quelque argent? »

Le gardien devient alors plus gentil avec Julien...

Un juge vient voir le jeune homme dans la prison.

« J'ai donné la mort et j'ai voulu la donner, lui dit Julien; j'ai acheté et fait charger les pistolets chez M..., marchand d'armes à Verrières. Les lois sont claires : c'est la mort, et je l'attends. »

Le juge, étonné de cette façon de répondre, veut lui poser de nombreuses questions.

« Mais ne voyez-vous pas, lui dit Julien en souriant, que je reconnais toutes mes fautes comme vous le voulez? Allez, monsieur, vous aurez le plaisir de me condamner, mais je préfère ne plus vous voir ici... »

Une fois seul, Julien pense : « Il me reste un triste devoir à remplir : il faut écrire à mademoiselle de La Mole. »

Cette lettre envoyée, il se sent très malheureux; tout ce qu'il avait espéré doit maintenant être chassé de son cœur par ce grand mot : il faut mourir.

Sa vie l'avait préparé au malheur. « J'ai tué, je mourrai : voilà tout. Je meurs, mais j'ai réglé mes comptes avec tout le monde, je ne dois rien à personne... », se dit-il. Tout cela lui semble naturel, et il ajoute : « Je n'ai plus rien à faire sur cette terre »; puis il s'endort...

Vers les neuf heures du soir, on le réveille en lui portant à manger.

« Que dit-on à Verrières? demande-t-il.

— Monsieur Julien, mon service m'oblige au silence », répond l'homme, qui se tait mais qui reste...

Le repas fini, l'homme dit d'un air faux et doux :

« Je vous connais bien, vous avez été un ami, Monsieur Julien, c'est ce qui m'oblige à parler. Monsieur Julien, qui est un bon garçon, sera bien content si je lui apprends que madame de Rênal va mieux...

— Quoi? Elle n'est pas morte! crie Julien en se levant de table.

— Vous ne saviez rien? dit l'homme d'un air bête. Eh bien, pour faire plaisir à Monsieur, je suis allé chez le médecin et il m'a tout raconté...

— Enfin! la blessure ne la fera pas mourir? » lui demande Julien en s'avançant vers lui.

L'homme a peur, il court vers la porte et se sauve...

Julien se met à pleurer. « Elle n'est pas morte! Ainsi elle vivra! se dit-il... Elle vivra pour me pardonner et pour m'aimer... »

Julien n'est pas seul

Le jour suivant, fort tard, on le réveille.

« Monsieur Julien, lui dit l'homme qui le garde, voilà deux bouteilles de très bon vin qu'on vous envoie.

— Comment?

— Oui, Monsieur, mais ne parlez pas si fort, on pourrait vous entendre.

— Vous serez bien payé », répond Julien en riant.

Une idée lui vient alors : « Ici, cet homme ne gagne que trois ou quatre cents francs, je peux lui donner dix mille francs, s'il veut se sauver en Suisse avec moi... »

Mais c'est trop tard. Une voiture vient le prendre à minuit. Le matin, il arrive à la prison de Besançon.

Un juge vient lui poser des questions, et après, on ne lui demande rien pendant plusieurs jours. Il est tranquille. « Tout est simple dans mon affaire, se répète-t-il; j'ai voulu tuer : je dois être tué. »

La vie n'est pas triste pour lui, il voit toutes les choses d'une autre façon. Il n'a plus d'ambition. Il ne pense pas souvent à mademoiselle de La Mole.

Il pense seulement à madame de Rênal, surtout pendant le silence des nuits.

Il remercie Dieu de ne pas l'avoir blessée à mort. « Chose étonnante, se dit-il, je croyais que, par sa lettre à monsieur de La Mole, elle avait tué pour toujours mon bonheur à venir; moins de quinze jours après cette lettre, je ne pense plus à tout ce qui m'occupait alors... »

A d'autres moments, il se lève de sa chaise d'un mouvement rapide. « Si j'avais blessé à mort madame de Rênal, je me serais tué... J'ai besoin d'en être certain pour ne pas rougir de moi-même. Me tuer! voilà la grande question... »

« Me tuer! mon Dieu non, se dit-il quelques jours après. Je peux vivre encore cinq ou six semaines, plus ou moins... La vie m'est agréable; ce lieu est tranquille, personne ne me dérange », ajoute-t-il en riant.

Il entend un grand bruit : la porte s'ouvre, et le curé Chélan, tout tremblant, se jette dans ses bras.

« Ah! grand Dieu! est-il possible, mon enfant... »

Et le bon vieil homme ne peut ajouter un mot. Julien a peur qu'il tombe. Il est obligé de le conduire à une chaise. Le pauvre curé autrefois si fort a bien changé en quelques mois. Il ne paraît plus que l'ombre de lui-même.

« J'ai besoin de vous voir! » dit Julien.

Mais il ne peut recevoir aucune réponse intelligente. Ce moment est celui qui lui fait le plus de peine depuis les coups de pistolet. Il vient de voir la mort, dans tout ce qu'elle a de plus laid.

Il décide d'écrire au directeur de la prison pour demander que plus personne ne vienne le voir. « Et Fouqué? » se dit-il...

Il y a deux mois qu'il ne pense plus à Fouqué quand celui-ci arrive; cet homme simple et bon est très malheureux. Sa seule idée est de vendre tout ce qu'il a pour faire sortir son ami de prison. Il le lui dit.

« Tu me fais de la peine, répond Julien. Je dois payer ma faute. Mais est-il vrai? Quoi?... tu es prêt à vendre tout ce que tu as? »

Julien se jette dans les bras de Fouqué, qui pense alors : « Ah! il est d'accord pour se sauver! »

Condamné a mort

Le lendemain, la porte s'ouvre et réveille Julien. Une femme habillée en paysanne se jette dans ses bras, il a de la peine à la reconnaître. C'est mademoiselle de La Mole.

« Méchant! je n'ai su que par ta lettre où tu étais. C'est seulement à Verrières que j'ai appris combien est grand et beau le cœur qui bat dans cette poitrine...

« Laissez-moi. On meurt comme on peut. »

— Chère Mathilde, votre arrivée à Besançon, si elle est connue, va faire mourir monsieur de La Mole, et voilà ce que jamais je ne me pardonnerai. Je lui ai déjà causé tant de peine !

— C'est sous le nom de madame Michelet que j'ai voyagé.

— Et madame Michelet a pu arriver aussi facilement jusqu'à moi?

— Ah! tu es toujours plus grand que les autres, je te reconnais bien! D'abord, j'ai offert cent francs à un secrétaire de juge...

— Eh bien? demande Julien.

— Ne te mets pas en colère, mon cher Julien, lui répond-elle en l'embrassant. J'ai été obligée de dire mon nom à ce secrétaire; il me prenait pour une jeune ouvrière de Paris qui aimait le beau Julien... Je lui ai dit que j'étais ta femme, et ainsi, je pourrai te voir chaque jour. »

« Elle est tout à fait folle, pense Julien; et je n'ai pas pu empêcher cela. Mais ma mort prochaine arrangera tout : je vais bientôt être jugé... »

Quelques jours plus tard, Fouqué et Mathilde veulent lui apprendre certaines nouvelles publiques qui permettraient d'espérer. Julien les arrête :

« Laissez-moi. On meurt comme on peut; moi, je ne veux penser à la mort qu'à ma façon. Les autres? je m'en moque! Tout finira bientôt avec les autres! Surtout, ne me parlez plus de ces gens-là. C'est bien assez de voir les juges... »

Son esprit était à Vergy. Jamais il n'a parlé de madame de Rênal à Fouqué, mais deux ou trois fois son ami lui a dit qu'elle allait mieux, et ces mots sonnaient dans son cœur...

Enfin arrive ce jour qui fait si grand peur et si grand mal à madame de Rênal et à Mathilde. Toute la région est venue à Besançon pour voir juger le beau Julien.

A neuf heures, quand il descend de sa prison pour aller dans la grande salle du Palais de Justice, c'est avec beaucoup de peine que les gendarmes arrivent à passer : tant de monde se presse dans la cour d'entrée! Julien plaint tous ces gens qui,

« Julien Sorel est condamné à mort. »

tout à l'heure, seront heureux de le voir condamné. Mais il est
bien étonné quand, resté plus d'un quart d'heure au milieu
d'eux, il n'entend que des mots tristes et bons pour lui :
« Ils sont moins méchants que je ne le croyais », se dit-il.

Julien a bien dormi, il paraît fort tranquille. Ce jour-là,
on peut penser qu'il n'a pas vingt ans ; il est habillé d'une
façon très simple, mais avec soin ; ses cheveux et son front
sont fort beaux : Mathilde a voulu elle-même s'occuper de lui
quand il s'est préparé.

Il s'assoit ; il entend alors de tous les côtés de la salle :
« Dieu ! qu'il est jeune !... Mais c'est un enfant !... »

Quand une heure du matin sonne, les juges quittent la salle
pour discuter dans un bureau. Aucune femme n'a encore
laissé sa place ; plusieurs hommes sont près de pleurer...

Julien, très fatigué, entend qu'on se demande autour de lui pourquoi les juges ne reviennent pas. Il voit avec plaisir que tout le monde voudrait que ce retard soit bon pour lui...

Deux heures viennent de sonner. La petite porte du bureau des juges s'ouvre. Un profond silence tombe sur la salle, puis on entend :

« Julien Sorel est condamné à mort. »

Julien regarde sa montre; il est deux heures un quart.

Une grande fin

Julien est conduit dans une pièce très sombre où ne sont gardés que les condamnés à mort.

Il a le grand plaisir de revoir madame de Rênal qui a pu se sauver de Verrières. Elle est bonne pour lui, et il retrouve la joie de vivre et d'aimer.

« Sache que je t'ai toujours aimée et que je n'ai aimé que toi, lui répète-t-il.

— Est-ce possible? » dit madame de Rênal, très heureuse.

Elle s'appuie sur Julien, qui est à ses genoux, et longtemps tous deux pleurent en silence.

A aucune minute de sa vie, Julien n'a connu un moment pareil.

Le jour où on lui dit qu'il faut mourir, il y a un beau soleil et Julien se sent plein de courage. Marcher au grand air est pour lui un plaisir fort agréable, comme la promenade à terre pour celui qui a longtemps été en mer. « Allons, tout va bien, se dit-il, je ne manque pas de force. »

Il pense aux doux moments qu'il a vécus autrefois, dans les bois de Vergy. Il se sent enfin libre, il reste simple et fort naturel...

Deux jours avant la fin, il a dit à Fouqué :

« Mathilde et madame de Rênal sont venues me voir; elles n'ont pas quitté Besançon. Le matin du dernier jour, emmène-les dans la même voiture. Débrouille-toi pour que les chevaux aillent vite. Elles tomberont dans les bras l'une de l'autre ou deviendront les plus grandes ennemies. De toute façon, les pauvres femmes penseront moins à leur terrible peine. Je crois que Mathilde guérira facilement de cet amour fou et que madame de Rênal vivra pour donner des soins au fils de Mathilde, elle me l'a promis. »

Maintenant, Julien pense à la mort.

« Qui sait? peut-être sentons-nous encore quelque chose après notre mort, a-t-il dit une fois à Fouqué. J'aimerais assez être enterré dans cette petite grotte de la grande montagne au-dessus de Verrières. Je te l'ai déjà raconté plusieurs fois : la nuit, seul dans cette grotte d'où je pouvais apercevoir les plus riches régions de France, j'ai senti naître en moi une grande ambition... Enfin, cette grotte m'est chère... Ici, tout se vend : si tu sais faire, on te vendra bien mon corps... »

Fouqué réussit ce triste marché. Il passe la nuit seul dans sa chambre, près du corps de son ami. Et il est bien étonné quand il voit entrer Mathilde : quelques heures avant, il l'a laissée à quarante kilomètres de Besançon. Elle a le regard et les yeux perdus. « Je veux le voir », lui dit-elle.

Fouqué n'a pas le courage de parler, ni de se lever. Il lui montre du doigt un grand manteau bleu sur le plancher; là est enveloppé ce qui reste de Julien.

Elle se jette à genoux. Ses mains tremblantes ouvrent le manteau. Fouqué tourne la tête...

La nuit suivante, devant cette petite grotte éclairée de mille lumières et choisie par Julien, vingt prêtres chantent un dernier au revoir.

Les paysans des petits villages de montagne sont venus. Mathilde est au milieu d'eux en longs vêtements noirs; et, quand tout est fini, elle leur fait jeter plusieurs milliers de pièces de cinq francs. Elle s'occupera de cette petite grotte et la fera décorer des plus belles pierres sculptées.

Madame de Rênal a fait ce qu'elle a promis : elle n'a pas cherché à mourir... Mais trois jours après Julien, elle quitte ce monde en embrassant ses enfants.

Mots difficiles

Adieu : ce qu'on dit à quelqu'un qu'on peut ne plus revoir.

Admirer : regarder avec plaisir quelqu'un ou quelque chose que l'on trouve beau.

Ambition : avoir de l'ambition, c'est chercher à employer tous les moyens pour très bien réussir dans la vie.

Approcher : venir plus près.

La beauté : est tout ce qui fait qu'une personne ou une chose est belle, agréable à regarder.

La Bible : voir la sainte Bible.

Une bibliothèque : est une pièce où sont rangés des livres; c'est aussi un meuble qui contient des livres.

Le bonheur : quand on est heureux, on a du bonheur.

La bonté : avoir de la bonté, c'est être bon pour les autres.

Condamner : un tribunal ne punit pas, il condamne (se condamner, c'est penser qu'on a tort d'avoir fait quelque chose).

Un curé : est un prêtre qui dirige une église.

Un domestique : est un homme au service d'une personne qui est son maître.

Un échec : quand on n'a pas ce qu'on voulait, quand on ne réussit pas, on a un échec.

Une église : est la maison de Dieu pour les catholiques.

Un évêque : est un chef de la religion catholique.

Un fauteuil : est une grande chaise avec des bras et un large dos plus ou moins confortable.

Une femme de chambre : n'est pas une femme de ménage, elle est seulement au service d'une dame.

Fier : être fier, c'est montrer aux autres qu'on est très content de soi-même.

Un garde d'honneur : est une personne habillée en soldat et chargée de recevoir et de suivre dans une ville un grand chef, un roi par exemple; une garde d'honneur est un groupe de gardes d'honneur.

Un gendarme : est l'agent de police de la campagne.

Une grotte : est un grand trou creusé dans la montagne; ce sont souvent les eaux qui, autrefois, ont creusé les grottes.

Un habit : un vêtement.

L'honneur : pousse à être admiré par les autres, à ne pas avoir l'esprit bas.

La joie : quand on est gai, on a de la joie.

Le latin : était la langue parlée autrefois en Italie; beaucoup de mots français viennent du latin.

Le lendemain : le jour suivant.

Un libéral : à ce moment-là, était contre le roi de France.

Un lieutenant : est un chef dans une armée.

Un maire : est l'homme choisi pour s'occuper des affaires d'une ville ou d'un village.

Un marquis : était autrefois un grand homme du pays.

Obéir : faire ce qu'on vous commande.

L'orgueil : est ce que sent quelqu'un qui pense être au-dessus des autres parce qu'il est plus intelligent, ou plus fort, ou plus riche.

La pâleur : d'un visage : ce visage n'a plus de couleur, il est presque blanc.

Pénible : très difficile et cause de la peine et de la fatigue.

Un pistolet : est une arme.

Un précepteur : est une personne chargée des études d'un enfant qui ne va pas à l'école.

Un prêtre : est un homme qui sert une religion.

Une prison : est une maison sombre où sont enfermés les gens condamnés par les tribunaux.

Refuser (un refus) : dire non, ne pas vouloir faire quelque chose.

Remercier : dire merci.

Le respect : est ce qu'on sent ou ce qu'on montre devant une personne plus importante que soi, par l'âge, par la profession, par exemple.

Un roi : est un chef de certains pays.

Rougir : devenir rouge.

La sainte Bible : est le livre racontant l'histoire du monde expliquée par des religions.

Un secrétaire : est une personne qui écrit des lettres pour quelqu'un et sait garder le silence.

Un séminaire : est une école où étudient les jeunes gens qui veulent devenir prêtres.

Une situation : une profession.

Une soirée : est le moment entre le dîner et le coucher.

Soulevés : levés pas très haut.

La théologie : est l'étude des religions.

La timidité : avoir de la timidité, c'est ne pas être sûr de soi devant les autres.

Trembler : remuer avec des mouvements rapides et répétés.

La voix : est le bruit que l'on fait pour se faire comprendre quand on parle ou quand on chante.

La volonté : est ce que veut quelqu'un et la force qui le pousse à faire ce qu'il a décidé.

CHERCHER ET COMPRENDRE

Une petite ville et son maire

1. Trouver les groupes de mots qui peignent M. de Rênal.
2. Pourquoi les jardins de M. le maire ont-ils coûté si cher?

La famille de Rênal

1 Quelles raisons poussent M. de Rênal à prendre un précepteur, puis à choisir Julien Sorel?
2. Pourquoi, à votre avis, le père Sorel ne donne-t-il pas tout de suite une réponse à M. de Rênal.

Un père et un fils

1. Pour quelles raisons le père Sorel n'aime-t-il pas son fils?
2. Que peut-on déjà penser de Julien en lisant ce chapitre?

Une femme douce

1. Montrer que madame de Rênal et Julien ne se connaissent pas.
2. Quels sont les différents sentiments de madame de Rênal? puis de Julien?

L'étonnant précepteur

1. Pour quelles raisons Julien demande-t-il aux enfants de lui faire réciter une leçon?
2. Pourquoi Julien cherche-t-il à étonner aussi les domestiques?

Julien enfin aimé

1. Que pensez-vous des conseils donnés par le curé Chélan?
2. Pourquoi est-ce seulement à la fin que madame de Rênal dit à Élisa qu'elle parlera à Julien?

Soirées à la campagne

1. Comment madame de Rênal connaît-elle une vie nouvelle?
2. Pourquoi Julien pense-t-il avoir « un devoir à remplir »?

Un cœur plein d'orgueil

1. Montrer que cette soirée est importante autant pour Julien que pour madame de Rênal.
2. Pourquoi les mots blessants de M. de Rênal ne touchent-ils pas Julien?

Un voyage

1. Pour quelles raisons, à votre avis, Julien se perd-il dans « la joie de liberté? »
2. Pourquoi Fouqué offre-t-il à son ami de travailler avec lui? et quelles raisons poussent Julien à refuser?

Julien partira-t-il?

1. Pourquoi madame de Rênal demande-t-elle à Julien de raconter son voyage?
2. Comment Julien se montre-t-il différent après avoir vu son ami?

Un roi à Verrières

1. Pourquoi Julien est-il nommé « garde d'honneur »?
2. Comment cette fête va-t-elle changer la vie de Julien?

Au séminaire

1. Pourquoi le curé Chélan oblige-t-il Julien à quitter Verrières? et quelles raisons peuvent expliquer que Julien choisisse le séminaire?
2. Montrer que Julien entre dans un monde nouveau pour lui.

En face de M. Pirard

1. Comment M. Pirard reçoit-il Julien?
2. Pourquoi Julien pense-t-il qu'il doit se montrer le « meilleur »?

La chance de Julien

1. Pourquoi M. Pirard aime-t-il Julien?
2. Quelle est la chance de Julien?

L'arrivée à Paris

1. Pourquoi Julien aime-t-il mieux courir sa chance que vivre tranquille avec Fouqué?
2. Quelles sont les vraies raisons qui poussent Julien à s'arrêter à Verrières en allant à Paris?

Entrée dans le monde

1. Pourquoi Julien doit-il attendre deux jours avant de s'installer chez M. de La Mole?
2. Est-ce que M. de La Mole et M. de Rênal se ressemblent?

Les premiers pas

1. Montrer que Julien n'a pas l'habitude de vivre dans une grande famille.
2. Pourquoi, à votre avis, Julien a-t-il voulu monter encore à cheval le lendemain?

M. de La Mole et son secrétaire

1. Pourquoi mademoiselle de La Mole voit-elle Julien d'un œil différent?
2. Que pensez-vous de M. de La Mole qui offre à Julien un habit bleu?

Mathilde de La Mole

1. Pourquoi mademoiselle de La Mole veut elle que Julien vienne danser chez M. de Retz?
2. Montrer que mademoiselle de La Mole n'aime pas les jeunes gens qui se pressent autour d'elle.

Une lettre

1. Comment Julien juge-t-il maintenant mademoiselle de La Mole?
2. Pourquoi Julien veut-il quitter Paris?

Julien se décidera-t-il?

1. Pourquoi mademoiselle de La Mole ne cherche-t-elle pas à parler à Julien?
2. Quelles sont les raisons que se donne Julien, d'abord pour refuser, et ensuite pour obéir à Mathilde?

Une heure du matin

1. Quelles sont les mesures prises par Julien contre les dangers possibles?
2. Montrer que mademoiselle de La Mole a pensé à tout.

La colère de M. de La Mole

1. Expliquer comment M. de La Mole pense plus à lui-même et à l'honneur de sa famille qu'à sa fille.
2. Pourquoi Julien dit-il à M. de La Mole l'endroit où il part se promener?

Un grand ami

1. Mathilde a-t-elle raison de demander à Julien de quitter Paris?
2. Comment mademoiselle de La Mole essaie-t-elle de décider son père à lui permettre de se marier avec Julien?

Un cœur de père

1. Mathilde est-elle vraiment « oubliée » par son père?
2. A votre avis, Julien a-t-il maintenant réussi dans la vie?

Un orage

1. Pourquoi Julien a-t-il demandé à M. de La Mole d'écrire à madame de Rênal? Qu'espérait-il?
2. Montrer qu'après avoir lu la lettre de madame de Rênal, Julien ne sait plus ce qu'il fait.
3. Julien aime-t-il encore madame de Rênal?

A la prison de Verrières

1. Qu'est-ce que madame de Rênal a senti et pensé depuis que Julien a quitté Verrières?
2. Quelles sont les raisons qui poussent Julien à répondre ainsi au juge? puis à l'homme qui le garde?

Julien n'est pas seul

1. Montrer que si Julien n'a plus d'ambition, il a encore de l'orgueil.
2. Qu'est-ce que le curé Chélan, puis Fouqué apportent à Julien?

Condamné à mort

1. Montrer que Julien est vraiment décidé à mourir.
2. Est-ce que les gens s'intéressent à Julien? Pensez-vous qu'ils donnent raison au tribunal?

Une grande fin

1. Comment Julien a-t-il préparé sa mort?
2. A votre avis, est-ce que mademoiselle de La Mole aimait Julien de la même façon que madame de Rênal?

TABLE DES MATIÈRES

Couverture : maquette de Gilles Vuillemard
Photo : Ariane Giannoni, graphisme : Bleck

Imprimé en France — IMPRIMERIE HÉRISSEY, ÉVREUX (Eure) — N° 59129
Dépôt légal : 624-09-1992 — Collection N° 01 — Édition N° 13

15/3779/4